gesang des weges

geschichten und gedichte vom aufbruch, unterwegs sein und ankommen

Zweite Anthologie der Mitglieder des Freien Deutschen Autorenverbandes Hamburg /Schleswig-Holstein

FDA
Freier Deutscher Autorenverband
Schutzverband Deutscher Schriftsteller
Landesverband Hamburg und Schleswig-Holstein e. V.

D0994455

elbaol verlag für printmedien

elbaol verlag für printmedien
Ellen Balsewitsch-Oldach
Eulenstr. 51
D-22765 Hamburg
Fon & Fax: +49 (0)40 27 86 11 88
E-Mail: elbaol_fda@gmx.de

Originalausgabe 2008
1. Auflage 2008

Lektorat: FDA Freier Deutscher Autorenverband,
                    Landesverband Hamburg/ Schleswig-
                    Holstein
Korrektorat: Kerstin Leppert

Herstellung: Books on Demand GmbH, Norderstedt

Umschlaggestaltung: Dirk Becker

ISBN: 978-3-939771-03-6
Euro: 19,95

gesang des weges

Vorwort

Eine äußerst bewusste und behutsame Titel- und Textauswahl zeichnet die zweite Anthologie der Mitglieder des Freien Deutschen Autorenverbandes Hamburg/Schleswig Holstein aus. Ist doch alle Literatur, alle Dichtung, von Anfang an stets Gesang und sind deren Autoren - in dieser Hinsicht und in keiner anderen sonst - stellvertretend für den Rest der Menschheit „auf dem Weg".

Auf dem Weg, ohne scheinbares Ziel, auf einem Weg, der schon das Ziel zu sein scheint - dessen Haltestellen nur Stationen des Lebens sein wollen, ob nun horizontal bodenständig von einem Ort zum andern oder vertikal zum Mittelpunkt der Erde oder gar zu sich selbst unterwegs und an deren Stelle immer eine neue Fragestellung tritt anstatt einer gebrauchsfertigen Antwort.

Wenn man eine Reise tut, dann kann man auch etwas erzählen, was bei der vorliegenden Anthologie häufig der Fall ist.

So auch in Form eines über die Miniatur hinausgewachsenen homogenen Mini-Romans „Dänemark zu dritt" von Ellen Balsewitsch-Oldach.

Dass es auch „schwer zu beschreibende" Dinge zu schildern gilt und nicht nur die Erwartungshaltung, Naturschönheiten atmosphärisch zu begegnen, zeigt sehr einprägsam der Text „Alsen - Besuch einer Industriebranche" von Dirk Becker.

Im zweiten Text von Dirk Becker ist „Stadt" zu erleben, zu hören, zu sehen und zu riechen. Die hier erlebbare Gratwanderung zwischen Ethik und Ästhetik, welche die Dinge grenzwertig beschreibt, ohne dass das Gefühlschaos oder gar die Unansehnlichkeit des Beschriebenen über Autor und Leser gleich hereinbricht, das ist der Balanceakt des Autors.

Dieses „über alles reden zu können" bestimmt als roter Faden dieses Buch.

Der gekonnte Wechsel von Idylle zur Katastrophe entspringt der ernsthaften Auseinandersetzung der Autorinnen und Autoren mit Ethik und Ästhetik auf der einen und menschlich geprägter Wirklichkeit auf der anderen Seite.

So verhält es sich auch bei Anneliese Braaschs „Ein Schlusswort". Handelt es sich hierbei doch nicht um ein solches, sondern eher um eine Lebensbeichte, mit dem Schatten eines Lächelns.

Angelika Flotows „Das Durchgangszimmer" spricht mich als Österreicher natürlich besonders an. Diese nur scheinbar seichte Geschichte ist eine erfrischend die erlebte Wirklichkeit wiederbelebende Erzählung.

Nicht ganz im inhaltlichen Gegensatz dazu steht die tragikomische Erzählung „Michels Glück" von Wolfgang Gogolin. In ihrem Mittelpunkt steht die Möglichkeit, sich gemeinsam mit dem Lebenspartner nach vorn blickend immer noch ändern zu können, auch wenn es dafür schon zu spät scheint.

Liebend gerne könnte ich das Schreiben über die Beiträge in dieser Anthologie fortsetzen, aber man möge es mir nachsehen, dass ich bei der Vielzahl der hier vertretenen Autorinnen und Autoren nur einige davon beispielhaft herausgegriffen habe.

Auf der Suche nach dem Sinn oder Witz des Lebens die Ereignisse so in Sprache umzusetzen und zu gestalten, dass das Erlebte greifbar nahe gebracht, fassbar und anfassbar wird, ist in dieser Anthologie hervorragend gelungen.

Es verbleibt mir nun, dem Freien Deutschen Autorenverband auch weiterhin jene Behutsamkeit zu wünschen, die zu beidem im Stande ist: sowohl zur behutsamen Pflege der nicht zuletzt durch Literatur aufkommenden gesellschaftlichen

Empfindungen, als auch zum entschlossenen Auftreten, in Wort und Handlung, für ein würdiges
Neben- und Miteinander von Autoren, das sich
den Bedürfnissen von lesenden und schreibenden
Menschen verbunden weiß.

Wolfgang Mayer-König,
Graz, im November 2008

[*Universitätsprofessor Wolfgang Mayer-König, 1946 in
Wien geboren, lebt in seiner Geburtsstadt und in Graz. Er
ist Verfasser zahlreicher, in mehrere Sprachen übersetzter
Bücher und seit nahezu dreißig Jahren Mitbegründer und
Herausgeber der internationalen Literaturzeitschrift
„LOG". Für sein literarisches Werk wurde er 1987 zum
„Chevalier des Arts et des Lettres" der Republik Frank-
reich ernannt. Er ist Mitglied der „Accademia Tiberina" in
Rom, der „Accademia Cosentina" in Cosenza so wie des
„Internationalen Pen-Clubs". Er erhielt den „Theodor-
Körner-Preis", den „Premio Prometeo d'Oro" der italieni-
schen Provinz Lazio, den „New Century Award", den „In-
ternational Peace Prize 2004" sowie das „Österreichische
Ehrenkreuz für Wissenschaft und Kunst".*]

Das vollständige Essay ist bei Bedarf nachzulesen unter:
www.fda-hamburg.de

Ellen Balsewitsch-Oldach

Dänemark zu dritt

Verenas grauer Sportwagen raste Richtung Norden. Dennis saß am Steuer, Thomas auf der Rückbank starrte hinaus in den Novembermorgen. Auf dem Beifahrersitz streckte sich Verena und blinzelte. Vorhin in der Disco hatte sie doch zu viel getrunken. Dennis und Thomas hatten beide mit ihr geflirtet und ihr einen Caipirinha nach dem anderen bestellt. War einfach witzig gewesen. Und dann Thomas' spontaner Einfall: „Ey, wisst ihr was? Wir setzen uns jetzt ins Auto und fahren hoch nach Dänemark, das ganze Wochenende - meine Eltern haben ein Ferienhaus an der Nordsee, mit Sauna. Und am Meer machen wir Lagerfeuer, das wird genial!" - „Ja, super!" Dennis war sofort begeistert, Verena wurde gar nicht gefragt, obwohl klar war, dass nur sie ein Auto hatte. „Okay", meinte sie aber schließlich, „bloß einer von euch muss fahren, ich bin ein bisschen blau."

Jetzt war die flippige Stimmung verflogen. Verena war wirklich nicht ganz bei sich gewesen. Sie hatte Dennis und Thomas vor drei Monaten im „Blue Merlin" kennen gelernt. Seitdem hatten sie sich aber nur an den Wochenenden in der Disco gesehen oder mit der gesamten Clique etwas unternommen. Und jetzt fuhr sie allein mit zwei praktisch Wildfremden ins Ausland. Genau genommen hatte ihr Vater Recht: „Seit ich dir zum Abitur den Wagen geschenkt habe, benimmst du dich wie ein verwöhntes Millionärsgör - fährst nur noch mit deinem Flitzer durch die Gegend und hängst Tag und Nacht mit irgend welchen Leuten in Discos herum! Das kann doch nicht gut gehen.

Mädel, pass auf dich auf. Und kümmere dich endlich mal um deinen Studienplatz!" Stimmte ja irgendwie, aber mit dem Roadster auf die Piste, das machte einfach Spaß nach all der Büffelei - und das Jurastudium lief schließlich nicht weg.

Sie seufzte und wandte sich an Thomas. „Sag' mal – und wenn das Haus vermietet ist? Oder vermietet ihr es nicht? Über ein Ferienhausbüro oder so?" Thomas zuckte mit den Schultern. „Nee, das wird nicht mehr vermietet, es wird demnächst verkauft. Meine Eltern sind pleite." Sie passierten den Grenzübergang. Schließlich verließen sie die Hauptstraße, kamen über eine Nebenstrecke in ein abgelegenes Ferienhausgebiet und rumpelten über immer schmaler werdende Sandwege bis zum letzten Grundstück in einer Sackgasse. Hinter einer dichten Kiefernhecke duckte sich ein verwittertes Holzhaus. Sie stiegen aus. „Das ist aber klein!" Verena war enttäuscht. Sie hatte sich einen großzügigen Backsteinbau mit Reetdach vorgestellt, mit Swimmingpool drinnen und Liegen hinter großen Sonnenfenstern. „Dafür ist es nicht weit zum Meer", antwortete Thomas unwillig. Er schloss die Terrassentür auf, die als Haupteingang diente. Die Luft im Haus roch nach Nadelholz. Das Wohnzimmer war mit abgenutzten Kiefernmöbeln eingerichtet, die offene Küche mit einer halb hohen Backsteinmauer abgeteilt. Die Türen zu den anderen Räumen gingen von einem kleinen Flur dahinter ab. Als erstes inspizierte Vera das Badezimmer. Man konnte sich in dieser Nasszelle kaum umdrehen. Und wo war die versprochene Sauna? Sie rief nach Thomas. „Hinter der Dusche, Prinzessin!" Fast bedrohlich stand er in der schmalen Tür. Und wie gehässig die „Prinzessin" geklungen hatte. Verena sah sich um. Im Halbdunkel an der Rückwand der Dusche erkannte sie eine graue Holztür, verspakt und verwittert durch das Duschwasser. Genau so unappetitlich wie der Duschvorhang.

„Sagt mal", meinte sie beiläufig, „sollten wir nicht lieber zurück fahren – ich denke, meine Eltern machen sich bestimmt inzwischen Sorgen." – „Nee, Honey", zum ersten Mal seit dem letzten Abend sprach Dennis, „jetzt bin ich stundenlang gefahren, und nun bleib ich hier auch. Pass mal auf, Thomas und ich fahren erst mal zum Lebensmittelhöker und schaffen was zu Essen ran und 'n paar Bier. Wer hat mal ein bisschen Kleingeld?" Thomas sah angestrengt auf seine Schuhe. Verena reichte Dennis ein paar Scheine. Erfreut stopfte er sie in seine Hosentasche. „Prima, das reicht sogar noch für 'ne Flasche Schampus! Autoschlüssel hab ich - du kannst dir inzwischen das Haus ansehen!"

Die Jungs waren verschwunden. Verena begutachtete die Schlafzimmer. Nur in einem waren vernünftige Betten, die neben einander standen. Das nächste hatte Doppelstockkojen. Und das dritte? Abgeschlossen. Ein Schlüssel steckte nicht. Thomas würde ihn sicher irgendwo haben. Jedenfalls würde sie nicht mit einem der beiden ein Zimmer teilen. Oder mit beiden? Verena schluckte. Was wusste sie, was die zwei sich gedacht hatten? Wirklich verwöhntes Töchterchen, viel zu naiv, um sich vorstellen zu können, dass jemand sie nicht mit Respekt behandelte! Sie nahm ihre Handtasche vom Sofa und suchte nach dem Handy. Am liebsten würde sie Daddy bitten, sie hier abzuholen –

sofort. Aber wo genau? Sie hatte den halben Weg geschlafen. Wenigstens wollte sie ihren Eltern Bescheid sagen, wo sie war. Nur - wo war das Handy? Sie hatte es bestimmt nicht aus der Tasche genommen - die hatte während der Fahrt hinten neben Thomas gestanden.

Unruhig wanderte Verena durch die Räume. Die Stille wurde erdrückend. Wann kamen die Jungs zurück? Wenigstens wäre dann ihr Auto wieder da. Um ihre wachsende Unruhe zu bekämpfen, ging sie nach draußen. Sie musste sich ablenken. Sie spähte um die nächste Hausecke. Vielleicht konnte sie von dort in das abgeschlossene Zimmer sehen. Das musste das Fenster sein. Es war mit Brettern verschlossen, sorgfältig von außen verschraubt, in Abständen, die gerade eben etwas Tageslicht hindurch ließen. Was sollte das bedeuten? Sperrte Thomas' Familie hier regelmäßig jemanden ein? In diesem Raum jedenfalls würde sie nicht schlafen, das stand fest. Trotzdem war sie neugierig geworden. Sie ging zurück ins Haus. Vielleicht passte einer der Schlüssel aus den anderen Türen. Doch es war keiner zu finden.

Plötzlich hörte sie den Wagen – und die Stimmen von Dennis und Thomas. „Hallo, Honey! Jetzt wird gefuttert und gezecht!" Dennis wuchtete einen hoch bepackten Karton mit Lebensmitteln auf den Esstisch. Thomas folgte mit einem Kasten Bier und einigen anderen Flaschen. „Jungs", Verena hatte einen Entschluss gefasst, „ich fahre jetzt nach Hause. Entweder kommt ihr gleich mit oder ich hole euch Sonntag ab. Habt ihr übrigens mein Handy irgendwo ges..." -

„Mist!" Thomas nickte Dennis zu und beide stürzten sich auf Verena. Sie zerrten sie in den Flur. „Seid ihr verrückt – was soll das? Lasst mich sofort los!" Verena wehrte sich mit aller Kraft, aber vergeblich. Thomas zog mit einer Hand sein Schlüsselbund hervor und schloss das versperrte Zimmer auf. Unsanft wurde Verena in den Raum gestoßen, die Tür flog hinter ihr ins Schloss, knirschend drehte sich der Schlüssel. Sie rüttelte an der Klinke. „Was soll der Quatsch – lasst mich sofort wieder raus! Das ist überhaupt nicht witzig! Ich schreie so lange, bis jemand kommt! Los, lasst mich raus!" Aber alles blieb still. Ein paar Mal trommelte sie mit den Fäusten gegen die Tür und schrie aus Leibeskräften. Aber Dennis und Thomas waren offenbar nach draußen gegangen. Sie lauschte. Ja, leise kamen ihre Stimmen von der Terrasse. Lautlos öffnete sie das Fenster einen Spalt. Sie war wütend und hatte Angst, aber das war jetzt unwichtig. Sie wollte wissen, was hier gespielt wurde.

„Klar wäre es besser gewesen, wenn sie erst mal weiter nichts gemerkt hätte!" Das war Thomas, der offenbar gierig an einer Zigarette zog. „Aber ist schon gut so - ihr immer auf den Fersen sein und aufpassen, dass sie ihr Telefon nicht findet und auch sonst nichts mitkriegt, das wär' auf Dauer doch anstrengend geworden. Und 'ne bessere Möglichkeit, als ihren Vater über ihr eigenes Handy anzurufen, hätten wir doch gar nicht kriegen können!" Dennis knurrte unzufrieden. „Na, dann mach uns mal ein Bier auf!" Thomas rauchte immer noch in tiefen Zügen. „Unser goldenes Gänschen sitzt auf Nummer Sicher und Papi hat gesagt, dass er das Lösegeld bis Sonntagabend zusammenkriegt und auf dem Parkplatz hinterlegt – ohne Polizei! Und danach: sofort ab nach Südamerika!" Bierflaschen klirrten, ein Zischen, Kronkorken schepperten zu Boden.

Verena war entgeistert. Entführt! Mit ihrem eigenen Auto. Völlig ahnungslos hatte sie mitgespielt - ihren Kidnappern sogar Essen, Trinken und Benzin finanziert. Sie sah sich in ihrem Gefängnis um. Klar, das Zimmer hatten sie erst mal verschließen müssen – zu deutlich wies alles darauf hin, dass hier jemand festgehalten werden sollte, vielleicht sogar für längere Zeit. Das untere Etagenbett war bezogen, ein Kasten Selters stand an der Wand, auf dem Tischchen am Fenster lag ein Paket Knäckebrot. Ein Stapel halbwegs aktueller Zeitschriften daneben. Erschöpft setzte sie sich auf das Bett und stützte den Kopf in die Hände. Sie konnte nichts tun. Gar nichts. Außer nachdenken.

Ihr Vater hatte für Sonntag Lösegeld zugesagt. Und eine Übergabe ohne Polizei. Aber sie kannte ihn. Auf seine Weise war er genau so naiv wie sie. Er glaubte mit Sicherheit, ein erfolgreicher Anwalt wie er könne alles bekommen: Tochter und Geld unversehrt zurück und außerdem die Genugtuung, die Männer hinter Gittern zu sehen, die ihm (jawohl, ihm!)das angetan hatten. Wenn er nun doch die Polizei ins Spiel brachte? Hatte einer von den Jungs möglicherweise eine Pistole? Als Thomas sie packte, hatte sie in seinen Augen etwas gesehen, was gefährlicher war als alles andere: Angst. Was, wenn die Polizei zu früh versuchte, die Beiden zu schnappen? Thomas traute sie eine

Kurzschlusshandlung ohne Weiteres zu. Und Dennis – wer wusste, wozu der fähig wäre? Wenn sie erst mal tot war, nützte es ihr gar nichts, wenn Dennis und Thomas beteuerten, sie hätten das nicht gewollt. Das Denken half ein wenig gegen die lähmende Angst, aber nicht viel. Wie ein Heimkind schaukelte Verena auf der Bettkante hin und her. Sie musste eine Lösung finden, sie musste ... sie musste!

Plötzlich hielt sie inne - das war's. Vielleicht eine winzige Chance. Erneut hämmerte sie gegen die Tür. „He, ihr Kriminellen da draußen! Habt ihr euch eigentlich Gedanken darüber gemacht, dass ich vielleicht mal zur Toilette muss? Dennis, Thomas – kommt sofort her – sonst mach ich hier auf den Teppich – und die Polizei hat eine prima Spur!!!" Unwilliges Murmeln. Dann der Schlüssel, die Tür öffnete sich – Thomas stand davor, den Lauf einer Pistole auf sie gerichtet. Recht gehabt, dachte sie entmutigt, während sie in das schwarze Loch der Mündung starrte. Dennis drängte sich hinter Thomas hervor und packte sie grob am Arm. „Keine Tricks, sonst müssen wir dich auch noch fesseln." Er bemühte sich, seiner Stimme einen festen Klang zu geben. „Okay", sagte Thomas trocken und ließ Verena keine Sekunde aus den Augen, „Pinkelpause, Prinzessin. Beeil dich. Und ruf', wenn du fertig bist. Und keinen Unsinn, klar? Ich bleibe die ganze Zeit vor der Tür und Dennis bewacht von draußen das Fenster, du hast also gar keine Chance!" Verena nickte. Das sah sie ein. „Kann ich meine Handtasche haben?" Auf seinem Weg nach draußen griff Dennis die Tasche von einem der Sessel und warf sie ihr zu. „Danke." Sie konnte nicht verhindern, dass es sarkastisch klang.

Im Bad atmete sie tief durch. Sie erledigte ihr Geschäft. Beim Hände waschen begann sie zu husten. Der Husten wollte nicht aufhören. „Was soll das Spektakel?" Gereizt schlug Thomas gegen die Tür. „Hab mich bloß verschluckt", krächzte Verena, „bin gleich soweit." Schließlich rief sie. Grob zerrte Thomas sie mit einer Hand aus dem Raum. Die Pistole in der anderen schwankte bedenklich. Wieder diese Angst in seinen Augen. Und schon war Verena wieder eingeschlossen.

Den Rest des Tages verbrachte sie am Schlüsselloch. Mit Horchen. Dennis und Thomas hantierten in der Küche und redeten. Verena erfuhr, dass Thomas' Eltern mit ihrem Geschäft in Konkurs gegangen waren und Thomas gegenüber seinen Klassenkameraden plötzlich deutlich zurück stecken musste. „Das ist echt Scheiße", knurrte er, „wenn du dir keine Designerklamotten mehr leisten kannst, bist du für die der letzte Arsch! Und neben der Schule jobben? Ich lass mich doch nicht als Aushilfe von irgend einem Idioten rumkommandieren! Wenn, dann mach ich gleich die dicke Kohle!"

Als Thomas und Dennis das erste Mal ins „Blue Merlin" gekommen waren, hatte Dennis sich sofort in Verena verguckt. Geschickt hatte er ein Mädchen aus ihrer Clique ausgehorcht, das sich sofort damit wichtig machte, dass ihre Freundin Verena zu den „Oberen Zehntausend" gehörte. Thomas hatte das Mädchen weggeekelt. „Los", raunte er Dennis zu, „reiß' sie auf, deine Verena – Hauptsache, ich bin mit dabei!" – „Sag' mal, spinnst du?" fragte Dennis fassungslos. Da hatte Thomas ihm erklärt, wie er sich das Ende seines finanziellen Notstands vorstellte. Dennis staunte über den Plan, den Thomas sich ausgedacht hatte - und über die Höhe des Lösegelds, das Thomas für denkbar hielt. Dennis' Traum von einer Tauchschule in Mexiko war plötzlich in greifbare Nähe gerückt.

Während ihrer Unterhaltung in der Küche hatten die Beiden ein Bier nach dem anderen getrunken. „So – nu' noch einen Jubi zur Verdauung", hörte Verena Dennis' Stimme, schon ziemlich verwischt. „Nee, wenn wir einpennen, geht uns die Kleine womöglich stiften, die Türen sind ja nich' so dick." Auch Thomas' Aussprache war schon undeutlich. „Komm schon, die wer'n wir ja wohl noch in Schach halten könn'", bedrängte Dennis Thomas. „Na gut, aber nur noch ein' Schluck!" Befriedigt hörte Verena, wie der Schluck genommen wurde. Und noch einer - und noch einer, jetzt anscheinend direkt aus der Flasche.

Draußen war es inzwischen dunkel. In Wohnzimmer und Küche war es still geworden. Verena drückte ihr Ohr ans Schlüsselloch, bis die Ohrmuschel schmerzte. Endlich! Einer schnarchte, und wenn sie genau hinhörte, waren da auch die tiefen Atemzüge des Anderen. Noch eine Viertelstunde, vorsichtshalber. Quälend langsam vergingen die Minuten. Jetzt wurde das Schnarchen lauter und zweistimmig. Vorsichtig hängte Verena ihre Schultertasche um. Aus dem Außenfach zog sie einen kleinen Schlüssel. Während ihres

„Hustenanfalls" hatte sie ihn leise aus der Badezimmertür gehakt. Bei der ersten Besichtigung hatte sie automatisch nachgesehen, ob das Bad sich abschließen ließ. Und weil ein Schlüssel in der Badezimmertür so selbstverständlich war, war er ihr auch erst in höchster Not wieder eingefallen. Und aus dem gleichen Grund hatten ihn die Jungs bei der Vorbereitung der Entführung wahrscheinlich vergessen. Oder das bedeutete - bei dem Gedanken bekam sie weiche Knie -, dass er eben einfach nirgendwo sonst passte!

Ihre Hände zitterten, als sie den Schlüssel leise ins Schlüsselloch schob. Sie lauschte – noch klang das Schnarchen gleichmäßig laut herüber. Ganz vorsichtig drehte sie den Schlüssel - er bewegte sich ein paar Millimeter, dann war Schluss. Nochmals versuchte sie es. Vergeblich. Tränen brannten ihr in den Augen. Verzweifelt drückte sie noch einmal gegen das Metall des Schlüsselgriffs – plötzlich ein leises Knirschen! Der Widerstand gab nach, der Bart hatte gefasst! Das Geräusch hatte in Verenas Ohren wie Donner geklungen. Erschrocken horchte sie auf die Männer. Doch alles blieb unverändert. Millimeter um Millimeter drückte sie die Klinke nach unten und öffnete die Tür. Schon konnte sie ins Wohnzimmer sehen. Die Stehlampe war an. Dennis lag in einem der Sessel, sein Kopf war auf die Brust gesunken. Thomas lag ausgestreckt auf dem Sofa, mit Stiefeln, in der einen Hand die Jubi-Flasche. Kalter Schweiß rann Verena den Rücken hinunter. Wie ging es jetzt weiter? Als Erstes musste sie ihren Autoschlüssel finden - wenn der noch in Dennis' oder Thomas' Hosentasche steckte, hatte sie verloren. Ansonsten - wo waren die Jacken der Jungs? Suchend sah sie sich um. Fast hätte sie erleichtert aufgeschrieen – da lagen die Schlüssel auf dem Küchentresen! Auf Zehenspitzen schlich sie hinüber. Vorsichtig schlossen sich ihre Finger um das Schlüsselbund. Es hatte kaum geklirrt, aber Dennis' dumpfes Röcheln verstummte. Aus, dachte Verena verzweifelt, alles aus! Ergeben schloss sie die Augen. Da setzte Dennis' Schnarchen wieder ein. Diesmal ein paar Töne höher. Ihre Beine drohten zu versagen ... Schritt für Schritt, auf Zehenspitzen schwankend, bahnte sie sich ihren Weg durch Batterien leerer Bierflaschen zur Terrassentür. Fast wäre sie noch auf eine leere Chipstüte getreten.

Endlich hatte sie die Tür erreicht. Zum Glück war sie nur angelehnt. Lautlos schob sie die Terrassentür auf und verschwand im Dunkeln. Aber draußen sah man kaum die Hand vor Augen, wenn die Außenbeleuchtung nicht an war. Und wo auf dem Grundstück stand das Auto?

Vorsichtshalber sah sie noch einmal ins Wohnzimmer zurück – und erstarrte. Thomas rührte sich, er setzte sich auf! Orientierungslos hastete sie weiter, in Richtung Ausfahrt (wie sie hoffte) und - rannte gegen die Motorhaube. Aus dem Haus ein rauer Aufschrei, Thomas hatte ihre Flucht entdeckt. Mit zitternden Händen drückte sie auf die Fernverriegelung des Wagens, es klackte, sie riss am Griff, doch die Tür ging nicht auf! Gar nicht abgeschlossen gewesen - kostbare Sekunden verschwendet! Nochmals drückte Verena den Knopf. Endlich - sie saß im Auto. Sie verriegelte die Türen und startete den Motor.

Da stürmten Thomas und Dennis aus der Terrassentür und rannten mit Riesensätzen auf den Wagen zu. In Thomas rechter Hand blinkte die Pistole. Verzweifelt blendete Verena die Lichthupe auf, um Thomas die Sicht auf sein Ziel zu nehmen. Der Motor heulte, als sie den Wagen auf die Männer zuschießen ließ. Mit einem Hechtsprung brachten sie sich in Sicherheit. Verena setzte schräg zurück. Im Licht der Scheinwerfer erschien die Auffahrt. Nach einer eckigen Wende schlingerte der Wagen hinaus. Drei Schüsse peitschten hinter ihm her. Verenas Herz setzte einen Schlag aus.

„Bitte, bitte", schrillte es ihr durch den Kopf, „wenn ich heil hier 'rauskomme, melde ich mich sofort bei der Uni ...", sie hörte die Projektile pfeifen - weder sie noch die Reifen waren getroffen, „... schon damit ich bald selbst dafür sorgen kann, dass solche miesen Ganoven im Knast landen!" Verena gab Gas und fuhr wie der Teufel.

Dirk Becker

Alsen – Besuch einer Industriebrache

Ein Tag wie jeder andere. Die Autobahn nur mäßig befahren. Linker Hand bunt gefärbte Industrie-Bauten. Abfahrt Itzehoe Süd, Innenstadt. In der Stör-Ebene breitet sich die Hablik-Stadt mit ihrem charakteristischen Kirchturm aus. Kreuzung links, gleich darauf wieder scharf rechts, nicht der breiten Strasse zum Supermarkt folgend sondern geradeaus, hinein in ungepflegte Bankette, vorbei an einem fenster- und türlosen Empfangshäuschen, über und über mit Graffities besprüht, ein Holzbalken als provisorische Grenze. Ich bin am Ziel. Alsen.

Eine Kulisse wie bei einem Endzeit-Filme. Leere Fensteröffnungen, eingestürzte Fassaden, Treppenaufgänge, die sich in verwirrend verwinkelten Schräglagen innerhalb und außerhalb der Gebäudekörper erstrecken, Rohrleitungen, mit Wasser gefüllte Hohlräume. Was nicht niet- und nagelfest war oder anderweitig zu Geld gemacht werden konnte, ist entfernt worden. Nackter Beton. Nein – nicht ganz nackt. Heimliche Freunde und Bewunderer dieses Ortes versuchen tagein, tagaus, die graufarbige Kahlheit mit bunten Sprühmustern zu ver- und bekleiden. Man stolpert über die verräterischen Reste ihrer Anwesenheit. Spraydosen. Zertreten, geknickt, ein farbiges Leben aus der Weißblechhülle in die Betonporen gehaucht. Nichts ist vor ihnen sicher. Bruchsteine, Holzbalken, Schienenreste, Betonstücke, Glasfenster, Eisenstreben, Toilettendeckel. Alles, was Farbe an sich halten könnte, wird graffitisch tätowiert.

Zentrales Element dieser Brache ist ein Röhricht. Zu Stein erstarrtes Auswurfloch eines Wattwurms, bietet er seine hohe hohle Stirn den Fährnissen der Jahre und auch dem menschlichen Destruktivismus dar. Übrig geblieben aus einer Reihe teils noch höherer Schlote, ist er auf weitem Rund Mahner und Wahrzeichen zugleich. Halbhoch hat eine junge Birke sich in die Fugen geschlagen, widersetzt sich den Stürmen und blüht frech grün hinaus über den Platz, kündet vom nicht enden wollenden Siegeswillen der Natur gegen den Grünflächen betonierenden homo industriens.

Ein Raum, weiß, wie gekalkt, mit Stützpfeilern, hoch wie bei einer Kathedrale. Licht fällt nur durch den Eingang, spärlich, aber es reicht, die im Sonnenstrahl tanzenden Staubpartikel wie kleine Elmsfeuer leuchten zu lassen. Elfen bei ihrem Frühlingstanz, Sternschnuppenkinder, die von der Milchstrasse abgekommen sind und sich in dieses zeitlose Kalk-Sand-Stein-Gebäude verirrt haben. Leer, absolut leer. Und weiß. Ein Leichentuch, über den Boden und die Wände gespannt, ideal, um eine Performance oder einen Konzertabend durchzuführen.

Niemand hier, niemand lässt das Echo einer Frage von den Wänden prallen und mein Ohr penetrieren. Einzig meine Spuren im Graustaub zeugen von der Begegnung mit diesem Pol farbloser Ruhe, einer gespenstischen Ruhe, die imstande scheint, einen Orkan zu entfesseln, wenn – ja, wenn man sich hier aus der fesselnden Atmosphäre lösen könnte.

Im Nachbargebäude die Duschwannen, krallen sich fest in den Boden. Im diffusen Abendlicht hängt als Ahnung noch der Geruch nach Wasser, das aus den Düsen tropfte. Auch hier die Kacheln ihrer Aufgabe als Wandzier beraubt, mit Farbstreifen und kontrastierenden Flächen versehen. Eine Reihe zerbrochener Fensterkreuze geht zum Bahndamm hinaus. Hamburg – Westerland. Der Snobistenexpress. Kennt einer der Vorbeireisenden das Geheimnis dieses imaginären Platzes? Sind sie sich der Einzigartigkeit bewusst, die sie von einer zur anderen Sekunde in eine faszinierende Welt hinein und gleich wieder heraus rauschen lässt? Wahrscheinlich folgen sie den DAX-Spuren im Börsenblatt oder bestellen beim Begleitpersonal Kaffee und Schnittchen oder klinken sich per Notebook ins Internet ein. Was sind da ein paar Industrie-Ruinen und grün bewachsene Schutthalden?

Nicht nur Schnecken bespuren in Konkurrenz mit den Graffiteuren die Wege und Wände dieser industriellen Betonruine und insistierenden Acrylfehlfarbenwelt mit ihren Zeichen. Menschen tauchen in diese Welt ein, staunen, bewundern, fotografieren, malen in den Ruinen, die der Geist einer längst vergangenen Zeit verlassen hat.

Es tut gut, die Kraft zu spüren, Alsen, mit der du dein steinernes Leben nun selbst in die Hand nimmst.

City-Splitter

Der Moloch hatte für diese Nacht sein bestes Festkleid angelegt. Wie Sterne schimmerte es überall - rote, gelbe, blaue, weiße. Dieses irisierende Farbspektakel überzog das Gewand in der gerade abklingenden Dunkelheit des anbrechenden Tages mit pulsierendem Leben. Offen gelegte Hauptschlagadern, Bewegungsflüsse im statischen Zwielicht. Ein Patient auf dem OP-Tisch, dessen Inneres vom Chirurgen offen gelegt worden war, um die Schwere der Erkrankung festzustellen – zuckendes Herz, Nervenbahnen, aufblitzende Blutströme, dann wieder blass leuchtende Adern, in denen der verbrauchte Lebenssaft strömte. Der Zustand schien stabil, keine Anzeichen von wirklich kritischen Störungen.

Hupen dröhnten, Bremsen kreischten, Reifen quietschten. Der im Radio angekündigte Stau hatte ihn geschluckt. Die Fahrzeugschlange stand dreireihig auf unüberschaubarer Länge. Man wusste es natürlich vorher und fuhr doch jeden Morgen erneut in diesen Schlamassel. Das bedeutete mindestens eine dreiviertel Stunde Zeitverlust. Im harten Geschäft des Tages ein nicht unerheblicher Faktor! Eine dreiviertel Stunde mehr Zeit zum Aufwachen und um aus dem Traum zu gleiten. Eine dreiviertel Stunde mehr Zeit zum Frühstücken, in aller Ruhe, kein Magendruck durch eilig hinunter gewürgte Brötchen und Kaffee. Eine dreiviertel Stunde mehr Zeit zum Lesen der Tageszeitung, kein Überschriften-Jogging, etwas intensiver in die reportierte Welt eintauchen können. Es war zu spät, sich über verpasste Gelegenheiten jetzt noch Gedanken zu machen. Er war nun ein Teil des trägen Verkehrsflusses geworden. Jegliche Bewegung schien ins Stocken geraten zu sein, damit auch die Zeit und letztlich er selbst.

Das Plätschern des Brunnens in der Einkaufspassage hatte etwas Idyllisches. Eine kleine Oase der Ruhe und Zeitlosigkeit. Kein Hasten, kein Gedränge. Stühle vor dem Bistro, zur Hälfte besetzt von Menschen, die beim Cappuccino ihre Zeitung lasen oder sich bei einem Glas Wein in Kommunikation versuchten. Kinder am Brunnenrand, die sich gegenseitig mit Wasser bespritzten. Einige verirrte Spatzen, die sich auf der Suche nach Krümeln und anderen verwertbaren Abfällen der Konsumgesellschaft bis tief hinunter auf den gepflasterten Atriumsbereich gewagt hatten. In einer Modeboutique wurde gerade eine Schaufensterpuppe entkleidet, was die Blicke der anwesenden Männer aber nur kurz fesselte. In einer Welt der Künstlichkeit konnte sich Natürliches immer noch den größeren Teil der Faszination bewahren - wie die junge Frau, die in ihrem tief ausgeschnittenen, kurzen Häkelkleid einen üppigen Busen und elegant geformte Beine offenbarte. Dass ihr nicht die volle Aufmerksamkeit der Adame dieser Passage zuteil wurde, lag nicht an mangelnder Natürlichkeit, sondern an dem Rollstuhl, in dem sie von einem älteren Mann durch die Passage geschoben wurde.

Mit einem gekonnten Strich beendete er sein Werk. Prüfend glitt der Blick über die gesamte Fläche, blieb an einem kleinen Detail hängen. Kurze Nachbesserung, dann war es perfekt in seinen Augen.

Dieses Objekt hier zu finden und dann auch noch für seine eigenen Zwecke nutzbar zu machen, das war nicht leicht gewesen. Aber jetzt stand er vor einem Kunstwerk, wahrlich auf der Höhe seiner Zeit. Unter ihm pulsierte die motorisierte Hauptschlagader der City. Über ihm malten Urlaubsjets weiße Linien in den blauen Himmel. Sein Werk sollte weithin leuchten und strahlen. Deshalb hatte er besonders teure Farben verwendet. Witterungsbeständig und farbintensiv. Fast der gesamte Verdienst aus seinen letzten Drogengeschäften hatte dafür aufgewendet werden müssen. Er kniete sich hinter die Balustrade, zog noch einen Joint durch und blickte dann wieder zu dem Objekt hinüber. Sich auf dreißig Quadratmetern künstlerisch zu artikulieren, in der ihm eigenen Symbolsprache aus blauen und roten Zeichen auf weißem Grund, das war ihm dieser Aufwand wert gewesen. Malgründe für seine Werke fand er zuhauf in der Stadt, ob an Fassaden oder an beweglichen Teilen des öffentlichen Personennahverkehrs. Unbefleckt, bis auf ein paar witterungsbedingte Farbtonunterschiede, die er aber in sein Werk mit einbezog. Doch die Veränderung von einer monoton urbanen Fassade oder einem hässlich strukturierten Blechkleid zu einem künstlichen – hier überlegte er – oder künstlerischen Unikat, das war seine ureigene Schöpfung. Er bewegte sich rückwärts, um im Überschwang seines Stolzes die Wirkung dieser Arbeit aus einem größeren Abstand begutachten zu können und trat dabei unbeabsichtigt durch eine breitere Lücke in der Dachumrandung. Noch im Sturz befand er, dass sein Graffiti - auch aus größer werdender Entfernung - diesem Gebäudekomplex seinen Stempel aufdrückte.

„Haben Sie bitte etwas Salz?" Die aufgetakelt wirkende Blondine sah den Kellner bittend an. „Sehr wohl, meine Dame. Kommt sofort." Damit entschwand er in Richtung Küche. Die Frau glättete ihr etwas zu kurz geratenes Minikleid, das beim Sitzen ihre wohlgeformten Schenkel fast in voller Länge zeigte und wandte sich dem Teller zu. Lustlos stocherte sie mit der Gabel im Essen. Wieder so ein Tag ohne Biss, langweilig und kein Geschäft mit Kunden, hing sie ihren Gedanken nach. Das Lokal, eines der besten in der City, war gut besucht, wie jeden Abend. Es konnte sogar zwei Sterne vorweisen. Sie hasste Wartezeiten. Endlich kam der Kellner zurück, mit einem silbernen Tablett, auf dem einsam und verlassen ein plastiliner Salzstreuer thronte. „Bitte sehr, meine Dame." Er beugte sich vor und reichte ihr das Tablett entgegen. Die Frau nahm sich den Salzstreuer, sah ihn prüfend an und schraubte den Deckel ab. Mit einem „Mein Leben ist schon fade genug!" schüttete sie den Inhalt über ihr Essen. Der Kellner behielt seine devote Haltung bei und blieb stumm. Die Frau stellte den Streuer wieder auf das Tablett zurück. „Vielen Dank. Ich brauche Sie nicht mehr." Der Kellner verneigte sich tief und ging. Mit dem Messer schnitt die Frau jede Kartoffel in Scheiben, zermantschte mit der Gabel die Erbsen und Möhren zu einem braunen Brei und schnitt das Schnitzel zu einem Rechteck. Dann drapierte sie das Schnitzelrechteck auf dem braunen Mus und dekorierte es rings umher mit den Kartoffelscheiben. „Schön", sagte sie zu sich selbst, "boeuf carré mit mousse jardin." Dann legte sie ihre Serviette säuberlich deckend über den Teller, nahm das Steakmesser in die rechte Hand und brachte sich zwei

Längsschnitte an der Innenseite ihres linken Unterarms bei. Das Blut schoss pulsierend hervor, färbte ihren Handrücken rot, wurde von der Serviette aufgesaugt und ließ diese bald in einem dunklen See versinken. „Das Salz des Lebens gibt es auch hier nicht. Großstadtküchen sind doch alle gleich", stieß sie mit letzter Kraft hervor, bevor ihr Kopf in den Teller fiel und dessen Inhalt auf die um sie herum sitzenden Gäste verteilte.

Die Wärme tat gut. Er rückte etwas näher an die Tonne heran. Von diesem Platz aus sah er die Lichter der Skyline. Ein diamantenes Band bunter, glitzernder Sterne, das sich über die gesamte Bucht hinzog. Es hatte irgendwie etwas Beruhigendes, gab ihm das Gefühl von Einzigartigkeit. Wie so oft fragte er sich heute auch, was wäre, wenn er als einziger Mensch auf dieser Erde hier sitzen und morgens den Sonnenaufgang über dem Wasser und abends das Lichtband der Großstadt betrachten würde. Es müsste ein erhabenes Gefühl sein, bestimmt. Die Flammen züngelten nur noch schwach, und er legte ein Holzscheit nach. Frieren wollte er nicht. Bei Kälte begannen seine alten Knochen zu schmerzen. Fehlende menschliche Wärme berührte ihn nicht so sehr, das war er gewohnt, damit konnte er fertig werden, mit körperlicher Kälte aber nicht. Die Flammen griffen gierig nach der neuen Nahrung und schlugen kurze Zeit später hoch bis zum Rand der Stahltonne. Dieser Platz war optimal. Unter den Steinarkaden der alten Bahnbrücke ließ es sich aushalten. Nicht, dass er verwöhnt wäre. Bei Regen hatte man hier ein trockenes Plätzchen und überhaupt einen guten Schlafplatz, da nachts kaum Züge fuhren.

Man konnte den morgendlichen Sonnenaufgang genießen oder sich der Magie der Nacht hingeben. Trotz
aller Unbequemlichkeit war es ein schöner Platz, der
ihm sehr behagte. Hier fühlte er sich wohl. Weiterge-
hende Ansprüche an sein Leben hatte er nicht.

Oh, wie er es hasste, wenn die Scheibenwischer
Schlieren zogen und die Regentropfen nur einen ver-
schwommenen Blick auf die Häuserzeilen und den
Verkehr vor ihm gestatteten. Selbst Schuld, sagte er
sich. Weshalb musste er auch so lange im Büro bleiben. Konnte er nicht, wie seine Kollegen, pünktlich
um 16 Uhr Feierabend machen? Nein, sein An-
spruchsdenken versklavte ihn dazu, nicht eher aufzu-
brechen, bis auch die letzte Mappe erledigt war. Verdammt, konnte der Typ da vorne nicht aufpassen?
Zwang ihn zur Vollbremsung. Stress auf der Straße
war wirklich das Letzte, was er jetzt gebrauchen
konnte. Jeder Vollidiot kann heutzutage einen Führer-
schein bekommen und trägt damit zur Verstopfung
der eh überlasteten City-Highways bei. Vielleicht
hätte er die S-Bahn nehmen sollen? Aber dann stünde
sein Wagen in der Tiefgarage, und sich morgens in
überfüllte Bahnen quetschen zu müssen war auch alles
andere als unterhaltsam. Mit Pennern, Schülern, Ar-
beitssuchenden zusammen in einem Abteil – nein, das
musste er nicht haben. Dann lieber im Stau stehen und
unruhig auf das Lenkrad trommeln. Dabei konnte er
über den Tag nachdenken und sich seine Strategie
zurechtlegen. Jeder Arbeitstag in der Stadt war ein
neuer Kampf unter Wölfen. Neidische Kollegen, herrische Chefs, sich über Diätprodukte unterhaltende
Sekretärinnen. Immer ‚state of the art‘, was Kleidung,

Aussehen und Auftreten anging. Seine Abteilung befand sich im 36. Stockwerk eines Bürokomplexes. Hoch genug, um einen imposanten Blick über die City zu haben. Zu niedrig, um wirklich wichtig genug zu sein. Andererseits aber auch wieder zu niedrig - oder zu hoch, je nachdem, von welcher Warte aus man es betrachtete - um außerhalb der Zone von Monotonie und Irrwitz des Büroalltags ein stressfreies Leben führen zu können. Nun hatte er schon wieder so einen Idioten vor dem Kühler, der Bremse mit Gaspedal verwechselt. Die Schlange vor ihm begann sich zu lichten. Na endlich. Jetzt ging es gleich auf die Ausfallstraße und dann hoffentlich ohne Stau nach Hause. Heute Abend der Besuch mit seiner Frau im Musical. Früher, da war das Kribbeln in der Magengegend, der zaghafte Griff nach ihrer Hand. Das Warten auf das Erlöschen der Deckenbeleuchtung, um näher aneinander rücken zu können. Enger Körperkontakt. Der Arm um die Schulter. Wange an Wange. Ein kaum wahrnehmbarer Duft nach Parfüm und Duschgel. Dann der Spaziergang unter den Arkaden. Das Mondlicht, das auf dem Wasser glitzerte. Der Rotwein in dem kleinen Lokal, einem Insider-Tip. Der letzte Imbiss auf dem Heimweg beim Döner-Ali. Doch das alles war Geschichte. Jetzt beherrschte Routine den Beziehungsalltag. Zyklische Monotonie. Der Moloch Stadt ist wie der Moloch Ehe – beide nagen an einem, fressen auf, spucken aus. Ein unverdaulicher Rest bleibt, der irgendwann in Rente geschickt wird.

N8 (Nacht oder 81428)

in der n8
fährt kostbare fr8
in die entscheidungsschl8

die summe des s1
ob d1 oder m1
bricht im bodensatz des w1

in thots jagdre4
spielt das kla4
nuns hymne um 4

2felnde frucht in den
2gen des zorns, schmeckt auf
2schneidger zunge bittersüß

wollüstige pr8
senkt sich mit bed8
auf sterbende n8

Anneliese Braasch

Ein Schlusswort

Anders als ‚schmuck' konnte man es nicht bezeichnen, dieses abgelegene, kleine Heidedorf, in dem die Häuser sich um die Kirche scharten. Es weckte in mir unwillkürlich den Wunsch, in diese Harmonie und Beschaulichkeit einzutauchen.

Der Gasthof war mit Reet gedeckt. Drinnen hatten Tabakqualm, Bierdunst und Essensgerüche sich als Patina auf den halb hohen Holzpaneelen niedergelassen. Die leuchtend roten Geranien hinter den weißen Fenstern wetteiferten mit den noch weißeren Gardinen darum, dem Gast den Ausblick zu verwehren und seinen Blick in erster Linie auf den Tresen zu lenken. Die frisch übermalten Tapeten, mit alten Fotos geschmückt, zeugten von einer festen Ordnung, die hier herrschte. Die Gaststube spiegelte eine Atmosphäre wider, wie sie vor zwanzig bis dreißig Jahren beliebt war.

Die junge Wirtin hinter dem Tresen musterte mich mit wachen Augen, in denen Vorsicht, wenn nicht sogar Misstrauen stand. Dass man gern das Geld der Gäste nahm, war eine Sache, ob man sie dafür auch mögen musste, eine andere.

„Könnte ich etwas zu essen haben?"

„ Ja, das Übliche," war die kurze, nicht unfreundliche Antwort.

Das Übliche würde entweder ein paniertes Schnitzel sein, das mindestens fünf Zentimeter an jeder Seite über den Tellerrand hing, oder aber das berühmte „Hochzeitsessen": Suppe mit Eierstich und Fleischklößchen, zwei bis drei Sorten Fleisch und Gemüse, eventuell noch einen Salat und einen Nachtisch.

Ich suchte mir einen Fensterplatz, von dem aus ich die Straße übersehen konnte, nachdem ich die Geranientöpfe etwas hin und her geschoben hatte und bestellte das Hochzeitsessen.

Während ich wartete, sah ich mich um: Pokale der Kegelmannschaften hinter dem Glas einer Vitrine, der Stammtisch, der unter der Last eines riesigen Aschenbechers mit einer Glocke aus Schmiedeeisen fast ächzte, die Garderobe und dahinter die Schiebetür zum Saal.

Die Wirtin erschien mit der Suppe, die ich schnell auslöffelte. Als ich bei dem Hauptgang anlangte, läutete die Kirchenglocke. Mit vollem Mund fragte ich die Wirtin:

„Eine Hochzeit?"

Genau so kurz war die Antwort: „Beerdigung!"

Nicht, dass mir ein Leichenzug den Appetit verderben könnte, aber etwas die Stimmung drücken tat diese Ankündigung schon.

Ich sah aus dem Fenster: Kein Leichenzug zu sehen. Während das Läuten der Glocke ausklang, konnte ich gerade noch einen Blick auf den Leichenwagen werfen und einen Mann erkennen, der offensichtlich der Letzte im Trauerzug war.

„Dann werden die Trauergäste sicherlich noch zu Kaffee und Kuchen zu Ihnen kommen?" wollte ich von der Wirtin wissen.

„Heute nicht. Ist nur eine kleine Beerdigung. Ging nur der alte Jörn mit," war die knappe Antwort. Sie blickte sich um und sagte: "Ich brauche deine Hilfe nicht,"

Im Türrahmen hinter dem Tresen stand eine alte Frau, wie sie im Norden so typisch sind oder vielmehr waren: nicht groß, aber hoch aufgerichtet, hager, schlicht

gekleidet, mit hellen Augen und einem Mund, der
Worte zu bewahren weiß.

Sie nickte mir zu, als ich grüßte.

Gesättigt und zufrieden bestellte ich mir noch ein
Kännchen Kaffee.

„Bring mir auch eins," rief die alte Frau der jungen
hinterher, während sie an ein Fenster trat und ein paar
Geranienblüten abzupfte, die welk waren. Man geht ja
immer davon aus, dass auf dem Dorf jeder jeden kennt
und irgend etwas lag in ihrer Haltung, das mich fragen
ließ, wer dort zu Grabe getragen wurde und ob sie ihn
vielleicht gekannt hatte.

„Oh, ja", sagte sie und nickte mit dem Kopf. „Ich
habe ihn gut gekannt." Offenbar stand in meinen Augen die Frage, weshalb sie dann an dem Trauerzug
nicht teilgenommen hatte. Das war auf einem Dorf
zumindest ungewöhnlich.

Die junge Frau erschien mit den zwei Portionen Kaffee auf einem Tablett und fragte: "Wohin soll ich dir
deinen Kaffee stellen?"

Bevor die Alte antworten konnte, fragte ich schnell:
„Mögen Sie sich nicht zu mir setzen?"

Nach einem prüfenden Blick nickte sie, strich ihre
Schürze glatt und nahm mir gegenüber Platz.

Ich dachte an die Sitte, bei Kaffee und Butterkuchen
und einer Suppe für Trauergäste, die von weither kamen, in Anekdoten und Erzählungen des Verstorbenen zu gedenken. Die angebotenen (und erwarteten)
alkoholischen Getränke sorgen für eine fast heitere,
doch meist leise Stimmung. Den Hinterbliebenen ist
diese Ablenkung Trost, nimmt dem Tod ein wenig
den Schrecken und zeigt einmal mehr, das Leben
würde weitergehen.

„Dann gibt es also kein Fell-Versupen?", fragte ich.

„Nein, heute nicht."

Die Alte und ich sahen abwechselnd aus dem Fenster oder rührten in unseren Kaffeetassen.

Endlich räusperte sie sich und sagte: "Ja, ich habe ihn gekannt, war ihm sogar einmal versprochen. So etwas wird hier sehr ernst genommen. Aber ich brachte nicht genug Geld mit. Geld zu Geld, das war in der damaligen Zeit gerade auf den Höfen sehr wichtig und ist heute auch nicht so viel anders. Und so hat er sich von mir losgesagt und eine reiche Bauerntochter geheiratet. Meine Tochter und ich hatten es anfangs nicht leicht."

„Das klingt nicht nach einem liebenswerten Menschen," warf ich ein.

„War er auch nicht. Ich habe das zu spüren bekommen. Aber er passte in die Zeit," erzählte sie weiter. „Nach zwei Weltkriegen galten die alten Werte nicht mehr, waren die Menschen orientierungslos geworden. Das wurde seine Zeit, und er blies immer in das Horn, dessen Signale den größten Vorteil versprachen. Übrigens, auf einem der alten Fotos ist er abgebildet. Kommen Sie!"

Sie stand auf, wies auf ein Foto und winkte mir. Das Bild zeigte einen großen, untersetzten Mann mit einem sturen Nacken, auf dem ein Kopf saß, der bereits äußerlich als Dickschädel zu erkennen war.

Sie hatte meine Reaktion beobachtet. „Ja, er wirkte immer größer, als er wirklich war. Es war seine Haltung," stellte sie fest. „ Aber durch eine gerade Haltung wird man noch nicht zu einem aufrechten Menschen.".

„Warum haben Sie sein Bild hier aufgehängt?" wollte ich wissen.

Der Schatten eines Lächelns zog über ihren Mund: „Aus Dankbarkeit."

Ich konnte meine Verwunderung schlecht verbergen. Wir setzten uns wieder.

„Aus Dankbarkeit dafür, dass das Leben es doch gut mir gemeint hat," fuhr sie fort. „Seine Frau hat sehr unter ihm gelitten. Ihre Schreie und ihr Weinen wurden geflissentlich überhört. Und blaue Flecke und andere Verletzungen ... ach Gott ... eine viel beschäftigte Frau rennt in der Eile schon mal gegen eine Tür, nicht wahr? Er nutzte Menschen aus und stieß sie beiseite, wenn sie ihm nicht mehr nützen konnten." Sie sah sich um. Die Tür zur Küche war geschlossen, der Platz hinter dem Tresen leer.

Ich fühlte mich ein wenig unbehaglich. Mit einer Lebensbeichte hatte ich nicht gerechnet. Zuerst stockend, dann aber, als würde sie getrieben, erzählte sie von Gerüchten. Hinter vorgehaltener Hand wurde von „Freunden" gemunkelt; von jungen und immer jüngeren Männern, deren Gesellschaft er suchte. In dem Dorf blieb nichts verborgen. Und weil nicht sein konnte, was nicht sein durfte, hieß es, er sei jemand, der junge Menschen beeinflussen und sagen könne, wo es lang ginge. Damit hatten sich die Leute selbst beschwichtigt. Als einer der jungen Männer sich später das Leben nahm, schlug die Stimmung im Dorf um. Von da an wurde er von allen gemieden. Die besonnenen Menschen in seinem Umfeld hatten sich bereits früher von ihm zurückgezogen. Auch seine Kinder hatten sich von ihm losgesagt.

Was sagt man in einer solchen Situation? Sagt man überhaupt etwas? In meine Überlegungen hinein wurde die Tür zur Küche aufgestoßen und drei Kinder, zwei Jungen und ein Mädchen stürmten auf die alte Frau zu.

„Große Oma, man los! Du musst nun aber kommen. Jetzt ist Lesestunde!" Ein Lächeln wärmte die Augen der alten Frau. Sie wirkte plötzlich sehr jung.

„Ich komme gleich. Geht schon mal vor", antwortete sie. „Und eigentlich sagt man „Guten Tag", wenn man hereinkommt - oder?"

„Tach," und „Tschüüs," riefen die Kinder lachend durcheinander und stürmten wieder aus der Gaststube.

Sie blickte ins Leere und das Ticken der alten Uhr schien mir plötzlich überlaut.

„Unser Pastor sprach in seinen Predigten häufig davon, im Buch des Lebens werde jedes Unrecht verbucht," fuhr sie fort.

„Und ?" fragte ich.

Sie machte mit ihrem Kopf eine Bewegung, die Haus und Hof und die Menschen darin mit einschloss. „Sie sehen ja, was letzten Endes daraus geworden ist. Ich werde noch dringend gebraucht." Ihr Lächeln sprach für sich. „Besonders von meinen Urenkeln.

„Er aber musste 88 Jahre alt werden, nachdem er Haus und Hof durchgebracht hatte. Schließlich lebte er mehr schlecht als recht bei fremden Menschen in einer kleinen Kammer, die er seit Jahren nicht mehr verlassen konnte." Sie warf einen Blick auf das Foto. "Vielleicht stimmt die Buchhaltung dort oben doch ..."

Dann gab sie sich einen Ruck, stand auf und sagte in einem Ton, als hätten wir uns über das Wetter unterhalten: „Ich lasse Ihnen dann die Rechnung bringen."

Angelika Flotow

Das Durchgangszimmer

Danach ist es Sarah unmöglich einzuschlafen. Sie horcht auf weiteres Rumoren, kann nicht anders. Doch nur noch gleichmäßiges Atmen ist aus einem der angrenzenden Räume und bierseliges Schnarchen von Jan neben ihr zu vernehmen. Ich bin eine Akustik-Spannerin, sagt sie sich, lausche auf Geräusche des Lebens, das um mich herum stattfindet. Nehme am Geschehen selbst aber nicht teil. Ihr entfährt ein theatralischer Seufzer. Hastig presst sie die Hand vor den Mund. Die Geste auch nur ein Zeichen, lediglich Zuhörer zu sein, Lärm zu vermeiden, um keine Aufmerksamkeit zu erregen! Ich will weg, nur noch weg, hier ist es echt zum Kotzen! Welche Ironie – wo Jan und sie doch gerade aus Angst, etwas zu versäumen, hierher gekommen sind!

„Silvester wollen wir auf eine Almhütte in Österreich, kein Touristenrummel, nur handverlesene Freunde. Kommt doch mit!" Wie ein Virus hatte Leons überzeugende Stimme sie beide infiziert und die kahlen Wände ihrer soeben eingeweihten Wohnung mit Bildern von prasselndem Kaminfeuer und schneebedeckten Wäldern überzogen.
Sie hatten Leon und Hanne im Sommerurlaub kennen gelernt. Selbst in dem flippigen spanischen Club waren die beiden aufgefallen wie Paradiesvögel am Nordpol. Hanne trotz der Hitze

stets auffallend geschminkt, und Leon nie müde eine Show abzuziehen. Einmal legte er gar bekleidet mit Hannes Reizwäsche einen flotten Strip hin. Jan und sie hatten sich geschmeichelt gefühlt, dass diese hippen Typen sich mit ihnen abgaben. Welch glücklicher Zufall, dass die beiden ausgerechnet in der Stadt wohnten, in die es sie wegen Jans neuer Stellung verschlagen hatte.

„Mal richtig die Sau rauslassen, keine gesellschaftlichen Zwänge, an die wir uns anpassen müssen", hatte Leon geschwärmt, der gerade auf der Energiesparwelle mit schwamm. „Nur Natur pur - kein Strom, minimalistische sanitäre Einrichtungen, dafür müssen wir uns überall mit einbringen, beim Essenkochen, Abwaschen und so! Ich denke, wir geben ein Superteam ab, oder?"

„Mal aussteigen, auf Zeit sozusagen", hatte Hanne ergänzt.

„Aussteigen", andächtig wiederholte Jan den Begriff ein ums andere Mal, ließ ihn auf der Zunge zergehen, bis er mürbe geworden war wie das Steak Tartar, das Sarah zum Abendbrot serviert hatte, „Klingt cool!"

„Ich weiß nicht", hatte sich die lange Laura geziert, Hannes beste Freundin, die ständig wie ein Schatten an ihr klebte. „Wo ich mich doch gerade von meinem Freund getrennt habe! Als einziger Single…" Sie schüttelte den Kopf. Hanne nahm mit den Augen Maß an ihrer Freundin. „Kein Problem, ich besorg dir jemand!"

Jan und ich haben zu allem Ja und Amen gesagt, denkt Sarah kopfschüttelnd. Wir hatten schon so lange nichts Aufregendes mehr miteinander unternommen und wollten nun um jeden Preis dazugehören zu diesem Kreis von Lebenskünstlern. Nur raus aus Spießerleben und Strebertum, wo sie das wahre Leben verpassten! Dafür hatte sie sogar zugelassen, dass Leons kundige Finger beim Abschied mit dem Verschluss ihres BHs spielten. Wie schon bei der Begrüßung. Und nicht erst an jenem Abend… Danach pflegte er sie sanft von sich zu schieben mit harmlosem Lächeln um die Lippen, wobei seine Augen herausfordernd andeuteten, dass es sich vorerst um ein unverbindliches Angebot handle. Die Berührungen waren so zufällig, schienen fast unbeabsichtigt zu sein, dass sie schwankte, ob sie sich das alles nicht nur einbildete. Es war besser, Jan nichts davon zu sagen.

„Das sind Jan und Sarah!" Leon hatte Besitz ergreifend die Hände auf ihre Schultern gelegt, als er sie am Fuße des Berges den Anderen vorstellte. Einer der Männer murmelte etwas, das in Sarahs Ohren wie „Frischfleisch" klang, was sie mit der Verteilung der Lebensmittel in Verbindung brachte, die der bärtige Robert zusammen mit seiner Freundin Edith in ihre fast aus den Nähten platzenden Rucksäcke stopfte. Edith, deren lange

Haare unter ihrer Mütze ein wenig ungepflegt wirkten, brüstete sich damit, den Besitzer herumgekriegt zu haben, ihnen die Hütte über Silvester zu überlassen. Normalerweise sei sie nur im Sommer zu nutzen.

Reglos in ihrem Bett verharrend, hört Sarah wie ein Echo die Gruppe mit schweren Schritten durch kniehohen Schnee den steilen Weg zur Alm hoch keuchen, beladen wie Packesel. Über den prallen Rucksäcken waren Skier befestigt, von denen an jeder Seite ein unförmiger Skistiefel baumelte. Sarah hatte noch nie in ihrem Leben auf den Brettern gestanden, und als sie es ein paar Tage später mit den Anderen ausprobierte, hatte sie keinen Spaß daran gefunden.

Erwartungsvolles Murmeln, als beim Verlassen des Waldes in der Ferne die einsame Behausung sichtbar wurde. In dem makellosen Weiß, das sich endlos vor ihnen erstreckte und am Horizont in das Grau des bedeckten Himmels überging, duckte sich die Hütte, um möglichst unauffällig mit der Landschaft zu verschmelzen. Das Holzdach, unter einer dicken Schneedecke verborgen, ragte über die geweißten Wände, aus denen abweisend matte Fensterscheiben starrten. Nicht gerade eine Werbespot-Idylle mit anheimelndem Kamin und Pferdeschlitten, hatte Sarah in dem Moment schaudernd gedacht.

Die Hütte ließ sich nur widerstrebend öffnen. Erst nach heftigen Bemühungen ergab sich die klem-

mende Tür der geballten männlichen Muskel-
kraft.

Dumpfe Feuchtigkeit war ihnen im Innern entge-
gengeschlagen. Sie haftet noch immer tief in Sarahs Nase.
Von der Treppe, die nach oben führt, tritt man
unmittelbar in einen großen Raum mit einem be-
quem wirkenden Doppelbett und einem an der
gegenüberliegenden Wand aufgestellten Einzel-
bett. Von diesem Raum gehen mehrere Türen ab,
die zu kuscheligen, aber äußerst beengten Kam-
mern führen, sowie ein schmaler Gang zum Matratzenlager.
„Teilt euch die Zimmer auf wie ihr wollt", hatte
Robert sie gleichmütig aufgefordert und war mit
Edith in einem der hinteren Räume verschwunden. Sie und Jan sind auf diesem Durchgangszimmer sitzen geblieben, das jeder durchqueren
muss, sowohl wenn er nach unten geht, als auch,
wenn er ins Bett will. Jan und sie hatten stumm
die Achseln gezuckt – war ja nur für ein paar Tage!
Wie Schneewittchen im Zwergenbett hatte Laura
in ihrer Kammer die Augen zweifelnd vom Kopfende des kunstvoll bemalten Bauernbettes zu dessen Fußende wandern lassen. Dieses zierliche
Möbelstück sollte sie mit Max teilen, den Hanne
ihr am Abend zuvor im Gasthof im Tal vorgestellt hatte. Nicht umsonst nannte jeder sie die

lange Laura. Hanne hatte ihr eine durchaus angemessene Begleitung verschafft. Max überragte Laura um Haupteslänge. Großzügig boten Jan und sie, von der Statur her eher in das Bettchen passend, ihnen einen Tausch an. „Danke, aber wir kommen schon klar", hatte Laura mit einem Blick auf die Treppe gemurmelt. Max hatte verlegen gegrinst.

Leons minimalistische sanitäre Einrichtung hatte sich als Plumpsklo entpuppt, zu dem man gelangte, indem man entweder vollständig um das Haus herumging, oder durch die Küchentür hindurch den angrenzenden Stall passierte. Von der hinteren Stalltür war es dann nur noch ein Schritt, so dass man bei feuchter Witterung sein Ziel nahezu trocken erreichte. Nun hatte sich im Laufe des Winters zwischen den beiden Gebäuden der Schnee so hoch getürmt, dass die Klotür vor der Erstbenutzung freigeschaufelt werden musste. Hierbei tat sich neben Jan besonders Geno hervor, die Schaufel unmissverständlich zwischen seinen Beinen hin und herschiebend, sobald sich ein weibliches Wesen näherte. Da sie die Sportfliegerei als gemeinsames Hobby entdeckt hatten, fachsimpelten sie nebenbei. Geno war frischgebackener Gynäkologe. Ursprünglich hatte er Chemie studiert, nach dem Examen jedoch festgestellt, dass in diesem Fach keinesfalls seine Berufung lag und auf Medizin umgesattelt. Daraufhin ließ sich seine Frau, die sein erstes Studium klaglos finanziert hatte, entnervt scheiden. Im Sommer hatte Geno sich zwecks Einrichtung einer Praxis einen Bankkredit verschafft. Zur selben Zeit entdeckte er das unwiderstehlich günstige Angebot einer gebrauchten Cessna. „Im Frühjahr probieren wir die Maschine aus! Für die Praxis gibt mir die Bank sicher einen Nachschlag." Dabei grinste er Jan unbekümmert an wie ein verzogener Junge, der genau weiß, dass er wieder einmal seinen Willen bekommt. Warum Robert und Leon ihn allerdings während des gemeinsamen Studiums den Spitznamen Geno genitalis verpasst hatten, ist Sarah erst vor wenigen Stunden klar geworden...

Widerstrebend schält sie sich aus dem klammen Bettzeug, um zum letzten Mal die nächtliche Expedition Richtung Klohäuschen anzutreten. Mit Taschenlampe bewaffnet, Stiefel und Anorak über dem Schlafanzug schleicht sie die knarrende Holztreppe hinab in die schneidende Kälte.
Nacht für Nacht hatte der Wind mehr aufgefrischt bis hin zum Schneesturm, der schließlich drei Tage lang ununterbrochen gewütet hatte. Bald schon hatte sich die Tür zum Klo nicht mehr schließen lassen, und wenn der sich drehende Wind ungünstig stand, war man während der Sitzung in Windeseile von feinem Pulverschnee durchnässt worden.

Inbrünstig hofft Sarah, in dieser Nacht niemandem zu begegnen. Ein paar Nächte zuvor hatte sie schlaftrunken durch den Stall schlurfend im Heu neben sich ein Rascheln vernommen. Zitternd hatte der Lichtkegel ihrer Taschenlampe die Dunkelheit durchschnitten und bei den weit aufgerissenen Augen von Laura verharrt, zur Seite geschwenkt, wo sich Hanne hastig die Schlafanzughose hochgezogen hatte. Ohne ein Wort hatte Sarah ihren Weg fortgesetzt. „Du willst doch nicht ernsthaft nach draußen", Hannes mild tadelnde Stimme hielt sie zurück. „Du holst dir noch den Tod. Komm zu uns!" Dass sie gehorsam umgekehrt war und sich zur Komplizin der beiden hatte machen lassen, treibt ihr wieder die Schamesröte ins Gesicht. Nur kein Spielverderber! Nein. Everybodys Darling sein! Soviel zu Leons Abkehr von gesellschaftlichen Zwängen! Sie unterdrückt ein bitteres Lachen. In diesen Tagen hat sie sich mehr angepasst als im ganzen Jahr zuvor!

Darüber würde sie sich jetzt allerdings kaum den Kopf zerbrechen, hätte der Silvesterabend ein anderes Ende genommen. Am Nachmittag waren ein paar Freunde von Robert aus dem Tal zu ihnen gestoßen, und es wurde, wie nicht anders zu erwarten, eine feuchtfröhliche Angelegenheit. An Jan hatte sich eine der Neuen geheftet, eine dralle Brünette mit frecher Dirndlbluse, die sich alle

Mühe gab, Jan ordentlich einzuheizen. Während Robert und Geno Sarah mit Arztwitzen vollgetextet hatten, nahm sie aus den Augenwinkeln wahr, wie ihr Ehemann im Laufe des Abends zusehends auftaute. Zu später Stunde entschwand einer nach dem anderen nach oben. Die Neuzugänge krochen bier- oder weinselig ins Matratzenlager. Alle, bis auf die dralle Kleine, die schmollend von Jan abließ, als Sarah ihre Besitzansprüche geltend machte. Ziemlich schnell ließ sie sich von Geno trösten und später kichernd in seine Kammer führen, deren Wand unmittelbar am Kopfende von Jans und Sarahs Bett anschloss. Gleich daneben befand sich das Zwergenzimmer von Max und Laura. Sarah war ein wenig verstimmt gewesen, und die äußerst intimen Geräusche, die in ihre und Jans rot angelaufenen Ohren eindrangen, sozusagen stereo, wirkten auf sie keineswegs anregend. Unterdrücktes Stöhnen und verhaltene Laute von links, noch weniger Dezentes von rechts. Die Bettfedern quietschten im Takt mit Genos Bewegungen, wobei er lautstark rhythmisch grunzte, was seiner Bettgenossin kleine Quieker entlockte, denen sie unkontrolliertes Gekicher hinterherschickte.

Übergangslos entrang sich ihrer Kehle ein würgendes Geräusch. Wie paralysiert in ihren Betten klebend blieb Sarah und Jan nicht erspart, die Eruption mit anzuhören, mit der sich Feuerzangenbowle, Bier und Schnäpse den Weg die Speiseröhre aufwärts bahnten.

„Du Sau! Mach das sofort weg!" heulte Geno nach diesem Interruptus. Als wenig später eine Gestalt auf der Suche nach Eimer und Wischlappen durch das Durchgangszimmer nach unten stolperte, zogen die beiden unfreiwilligen Ohrenzeugen hastig die Decke über ihre Köpfe.

Sarah wickelt sich ins Laken, aufgebracht Jans entspannten Schnarchgeräuschen lauschend. Wie kann er nur schlafen! In diesem Raum, in dem jeder Mucks, den irgendjemand im Haus von sich gibt, aufgefangen wird! Dieses Zimmer ist im Begriff, unseren Willen zu lähmen und unseren Verstand aufzusaugen, murmelt Sarah. Ihre Lider sinken auf die Augen. Bald sind nur noch unsere Hüllen übrig und laufen wie Zombies mit, wo immer der Zeitgeist sie hintreiben mag. Sie muss Jan wecken, damit sie beide entkommen, ist Sarahs letzter Gedanke. Dann schläft sie ein.

Monika Garn-Hennlich

Ruhe

An der Flussbiegung
nur Vogelstimmen lauschen
den Morgen spüren

Blätterteppich lichtbeglänzt
verlangsamt meine Schritte

Heimat

Lichter dieser Nacht
Boten innerer Wärme
traulich anzusehn

Vertraut ist mir die Straße
sie führt mich hin und zurück

Großstadt

Beim Kreuzen der Wege
lieber Gleichgültigkeit zeigen
schnell abschätzen
nur nicht zu nahe kommen

Wenn überhaupt
kurz in die Augen schauen
aber nicht zu intensiv
das käme einem Angriff gleich

Besser den Blick senken
oder geradeaus schauen
doch das kostet mehr Kraft
oder zur Seite sehen
aber da ist schon der Nächste...

Aussicht

Gipfel erklommen
Hauch von Ewigkeit gespürt
Atemlos gestaunt

Unweit unserer Träume
stürzten die Wasser zu Tal

Am Bahnhof

Zu grell erleuchtet
der Eingang

Zu groß die Zeiger
der Uhr

Zu nüchtern
die Halle

Zu trostlos
die Gleise

Zu fröhlich
dein Gesicht

Zu verkrampft
meine Hand
am Saum der Weste

Traumes Spur

Nur manchmal will mein Fuß
die Erde nicht berühren
zögert vor dem nächsten Schritt

Ein Tod verhalten ruft
sollte er sich nicht begnügen
zieht mich schon des Weges mit

Wohin mit verwunschenen Vögeln
die ich sah samt Rosen in Blau
wenn ich fühle des Speeres Spitze

Kontraste

Ein Stückchen Rinde
manch abgebrochener Ast
zu meinen Füßen...

Wie mitreißend wirkt der Fluß
als gingest du neben mir

Ernstfall

Ganz nah dem Paradies
reichte Adam mir
den Apfel

Er selbst
bedurfte nicht der Frucht
wußte um die Vertreibung

Am Scheideweg
deutete ich den Klang
seiner Stimme

Schon damals
ging er für immer

Wolfgang Gogolin

Michels Glück

Langsam brach die Nacht über das holsteinische Gehöft mit dem Namen „Hof Fuga" herein. Bauer Michel und Frau Marie machten sich zum Schlafengehen bereit. Halb zehn Uhr abends war eigentlich viel zu früh, um schlafen zu gehen. Doch Aufstehen zwischen drei und vier Uhr in der Frühe gehörte zum Pflichtprogramm für jeden Landwirt.

„Denk daran, Marie, morgen früh muss ich zu Doktor Schult, die Ergebnisse der Untersuchung besprechen. Ich kann dir daher nicht beim zweiten Melken helfen."

Marie nickte ihrem Mann zu. Bauer Michel hatte sich für die Vorsorgeuntersuchung der landwirtschaftlichen Krankenkasse für Männer ab dem fünfzigsten Lebensjahr entschieden, den so genannten „50plus Check". Sein sonnengegerbter Körper zeigte zwar keine Krankheitsanzeichen, aber Michel wollte lieber auf Nummer Sicher gehen. Man konnte schließlich nie wissen, welche Leiden im Inneren schlummerten. Beinahe hätte ihn die letzte Erkältung endgültig niedergeworfen, davon war er überzeugt. Wie er auch nach seiner Selbstdiagnose im letzten Sommer überzeugt gewesen war vom Hautkrebs im Endstadium, der sich doch nur als Sonnenallergie entpuppt hatte. Da verstand er keinen Spaß. Die Kopfschmerzen vor Weihnachten hätten ohne Weiteres

Vorboten eines inoperablen Tumors im Gehirn sein können. Marie allerdings lachte nur über ihn, wenn er an jedem Schnupfen zu sterben drohte, zehrende Krankheiten entdeckte oder sein Testament sorgfältig umformulierte. Männer funktionieren eben anders, schien sie zu denken. Männer als Helden des Daseins.

Die Nacht war viel zu schnell vorbei. Mit dem ersten Hahnenschrei ging es hinaus zum Melken der Kühe. Schlaftrunken verrichteten der Bauer und seine Frau die ersten Arbeiten des Tages. Rosi und Erna, die schwarzbunten Kühe, freuten sich auf ihre alltägliche Behandlung. Der Bauer hingegen brummte frühmorgens missgestimmt vor sich hin, er arbeitete ungern als Landwirt. Als es damals um seinen Beruf gegangen war, hatte er nicht frei wählen dürfen. Sein Vater lebte vom Vieh, sein Großvater und ebenso dessen Vater. Jedes Sträuben war also vergeblich. Fernfahrer hätte er gerne werden wollen, um fremde Länder mit einem Dreißig-Tonner-Diesel zu durchreisen. Das wäre sein Traum gewesen, als einsamer Reiter durch die Kälte der Fremde. Eine bunte, zerplatzte Seifenblase.

Michel machte das Beste aus seinem ungewollten Bauerndasein und sagte sich: Was man nicht ändern kann, darüber soll man sich nicht grämen. Ab und zu bereitete Landwirtschaft auch Freude. Gute Ernten, Kälbernachwuchs und die alljährlichen Erntedankfeste boten Befriedigung und angenehme Abwechslung.

Die Praxis von Dr. Schult war frühmorgens normalerweise gut besucht. Heute jedoch saß Michel allein im Wartezimmer. Schon nach wenigen Minuten wurde er ins Sprechzimmer gerufen und die sonst eher schnippische Sprechstundenhilfe geleitete ihn betont freundlich zur Tür des Behandlungsraums. Der für gewöhnlich bärbeißige Arzt eröffnete die Konsultation mit einem warmherzigen Lächeln. Michel wurde ganz anders.

„Michel", begann der Doktor, „wie lange kennen wir uns schon?"

Michel spürte instinktiv, dass diese harmlose Frage die Einleitung zu einer schlimmen Mitteilung sein würde. Er ertrug den Gedanken nicht, er wollte es kurz machen.

„Ach, Herr Doktor, heraus damit, wie ernst steht es um mich?" Seine Stimme zitterte. Er meinte, von weit her Glockengeläut zu hören und faltete Schicksal ergeben die Hände.

Mit nachdenklicher Miene schob Dr. Schult die silberfarbene Halb-Lesebrille ein Stückchen tiefer, beäugte seinen Patienten und hob die linke Augenbraue. In sonor-besänftigendem Tonfall eröffnete er Michel die Diagnose: Schweres Herzleiden. Michel griff sich theatralisch an die Brust. Mit vielen lateinischen Ausdrücken, die Michel nicht kannte und die wie graue Wolken an ihm vorüberjagten, versuchte der Arzt, den besorgniserregenden Gesundheitszustand möglichst schonend zu beschreiben. Glockenklingeln von weit her schien seine Worte zu untermalen.

Michel verstand nur, dass ihm nur noch bis Weihnachten Zeit bliebe und er solle sich mit dem Unabänderlichen abfinden. Unabänderlich, bis Weihnachten.

Schneller als gedacht stand er wieder auf der Dorfstraße. Als ob der Arztbesuch im Zeitraffer vorbeigerauscht wäre. Unabänderlich, Weihnachten.

Benebelt von angstvollen Gefühlen ging er die Straße zurück, vorbei an der weiß getünchten Christuskirche. Michel war nicht völlig ungläubig. Seine bäuerliche Schläue hatte sich aber gegen die Kirchensteuerzahlung entschieden und für das Vertagen der Frage, ob es wirklich einen Gott gibt. Wozu jetzt schon glauben, wenn er später dem Herrn persönlich gegenüberstehen würde – reine Geld- und Zeitverschwendung.

Pastor Hermann und dessen Trinkgewohnheiten kannte er allerdings. ‚Ein Schnäpschen in Ehren kann niemand verwehren, auf einem Bein kann niemand stehen, Alkohol, mein Sohn, ist gesund, weil rein vegetarisch' – die Redensarten des Pastors waren lebensnah, volkstümlich und allgemein beliebt. Wenngleich ihnen ein hoher Wiederholungsfaktor die rhetorische Frische nahm.

Pastor Hermann öffnete die wuchtige, knarrende Kirchentür.

„Moin, Michel", sagte er freundlich lächelnd. Schon wieder einer, der freundlich ist, dachte Michel. Ob der Pastor etwa schon Bescheid weiß?

„Michel", der Herr Pastor schaute ihn fragend an, „was ist denn los mit dir?" So scheinheilig konnte nicht einmal ein Pastor fragen, und aus Michel sprudelte noch vor der Tür das Unerträgliche heraus. Der erstaunten Miene des Pastors entnahm Michel, dass der Gute aus seinen Worten nicht sofort schlau wurde, doch er war nicht zu bremsen. Bis Weihnachten, endete die Rede. Bis Weihnachten.

Pastor Hermann führte sein Schäflein behutsam in die Kirche. Mit allen vom Herrn verliehenen Kräften versuchte der Gottesmann, Michel zu beruhigen und Trost zu spenden. Er schwamm dabei in seinem Element und beteuerte am Ende, von der eigenen Predigt ergriffen, dass es dem Herrn ein Wohlgefallen wäre, einen fähigen Bauern in seinem Reich aufzunehmen. Säen und Ernten im Garten Gottes, das würde den Herrn freuen.

Stille.

Hmpf, dachte Michel, das sind aber sehr unerfreuliche Aussichten, schon wieder Landwirt? Er hatte auf etwas anderes gehofft, wenn ihm jemand den Garten Eden versprach. Viele Glöckchen klingelten. Gruftige Kälte kroch Michels Beine empor, die Kirche wurde plötzlich eiskalt. Schneller als gedacht stand er wieder auf der Dorfstraße. Pastor Hermann rief ihm noch frohlockend „es gibt dort bestimmt auch Schwarzbunte, so eine Freude! Gott liebt all seine Geschöpfe!" hinterher. Auch das noch, dachte Michel, sogar im Himmel soll ich zu unchristlicher Zeit aufstehen und melken.

Still trug er drei Tage die Last der düsteren Gedanken in sich, um Marie zu schonen. Am vierten Tag zog er die Bilanz seines Lebens. Ich bin Landwirt, obwohl ich niemals Landwirt sein wollte. Ich hasse diese Arbeit. Wie ein Wurm in der Erde wühlen, Kühen an den Eutern ziehen, Hühnern die Eier stehlen und ihnen beizeiten den Hals umdrehen, Rosi und Erna striegeln. Wenn ich diesen Beruf auch im Himmel für den Herrn ausüben muss, überlegte er, so ist das sicher nicht der Himmel für mich. Es wäre gewiss kein Aufstieg, schon wieder als Bauer zu schuften. Ich möchte lieber eine Veränderung zum Besseren, da bleibt nur der Abstieg in die Hölle. Dort gibt es vermutlich rassige Frauen, harten Schnaps, Kartenspiel und mein geliebtes Pfeifchen könnte ich dort auch rauchen, ohne dass es jemandem auffiele.

Doch wie soll ein unbescholtener Bauer in die Hölle gelangen? Michel hatte von den sieben Todsünden gehört und sich für seine Lieblingssünde entschieden. Sünde sollte schließlich mit Vergnügen gepaart sein und seine Wahl fiel auf die Völlerei. Von Wollust und Unkeuschheit beschloss er, die Finger zu lassen, denn so viel Hölle, wie Marie ihm dann bereiten könnte, wollte Michel denn doch nicht erleben.

Das Erntedankfest auf Hof Fuga:
Bier und Schnaps flossen in Strömen, das dicke Schwein Isabella drehte am Spieß munter seine Runden, die Tafel bog sich, Sahne, Zucker, Butter und Schweineschmalz – die Höllenvorboten - lachten in Form unzähliger Leckereien. Ein ganzes Dorf feierte ausgelassen. Michel rechnete sich aus, dass angesichts des Saufens und Fressens die meisten Dorfbewohner ihre letzte Reise mit leichtem Gepäck antreten werden. Denn am Ziel würde es heiß sein.

Das Fest neigte sich dem Ende zu. Pastor Hermann lag sturzbetrunken und schnarchend im Bewässerungsgraben am Rande des Maisfelds. Hinnerk, sein Nachbar, litt unter Alkoholvergiftung und füllte den Schweintrog mit seinem Innersten und Heidi, die Dorfschönheit, verschwand bereits zum dritten Mal mit männlicher Gesellschaft in der Scheune. Auch Michel hatte an seinen Zukunftsaussichten gearbeitet, er und sein Kopf lagen betäubt vom klaren Korn der Länge nach auf dem eichenen Küchentisch. Lautes Klopfen und Scharren hoben ihn aus der alkoholischen Umnachtung. Michel hievte seinen Kopf empor, langsam und kleinäugig sah er sich um. Ein großer, dunkler Mann stand in seiner Küche. Michels Augen versuchten, sich zu schärfen. Es stank beißend nach Schwefel. Der Mann hatte ein seltsames Bein, wie das eines Pferdes. Michel schreckte hoch. Das konnte nur eins bedeuten. Nach seinem Herz tastend, fühlte er – nichts. So schnell kann es zu Ende gehen.

Der dunkle Mann lächelte merkwürdig. Schon wieder lächelt mich jemand an, dachte Michel, langsam wird es unheimlich. Dann erblickte er den Dreizack des mächtig nach faulen Eiern stinkenden Kerls.

Von einem auf den anderen Moment war Michel hellwach. Er hatte den Dreizack im Visier. „Nein", schrie er, „um Gottes Willen, nicht schon wieder eine Mistgabel!" Schweiß rann sein Gesicht hinab, Gedankengewitter blitzten. Zuerst soll ich das Himmelreich beackern und nun hat Gottes Gegenspieler auch nichts Besseres im Sinn, als mich mit landwirtschaftlichem Nutzgerät zu begrüßen. Die beiden Herrschaften müssen sich abgesprochen haben!

„Nein, ich will kein Landwirt sein!" So laut hatte Michel sein Lebtag noch nie geschrieen. Die Stimmbänder versuchten, der außergewöhnlichen Belastung Herr zu werden. Marie war mitsamt der Bettdecke aus dem Bett gefallen und beäugte ihren Mann aus sicherer Entfernung. Der wimmerte nur noch.

„Michel", Marie, noch immer auf dem hölzernen Boden liegend, tastete sich einfühlsam vor, „ich vermute, du hast schlecht geträumt."

Michel wimmerte weiter.

„Wir müssen aufstehen, wir haben noch einen langen Tag vor uns. Wir müssen Rosi und Erna melken und du musst Dr. Schult aufsuchen, um das Ergebnis der Untersuchung zu erfahren." Maries Augen hofften auf Normalität. Langsam, sehr langsam kam Michel zu sich. Er nahm die Farben seiner Umgebung wahr und auch, wie Marie auf dem Boden lag und die Bettdecke verkrampft über ihrer Brust zusammenhielt. Ruhig atmete er ein, glücklich, nur geträumt zu haben. Er fühlte zum ersten Mal nach langer Zeit bewusstes Leben durch seinen Körper strömen. Schlagartig wurde ihm klar: Er würde mit Marie bald ein anderes Leben führen, weit weg vom Bauerndasein. Mit dem nächsten Atemzug sog er den imaginären Dieselduft seines Trucks ein. Vor seinem geistigen Auge sah er durch riesige Windschutzscheiben wildromantische Landschaften vorbeiziehen. Allerdings keine, die er zu beackern gedachte.

Sich ändern – bis Weihnachten. So viel hatte er verstanden, das sollte die Botschaft sein. Er meinte, den Anfang eines von Glockenklängen untermalten Liedes zu hören: ‚Er fährt nen Dreißig-Tonner-Diesel und ist die meiste Zeit auf Tour, und er gibt dabei sein Bestes, Tag für Tag rund um die Uhr ...'

Birgit Hambach

Neun literarische Miniaturen

Am Strand

Damals
lebte ein Mann in Liebe zu seiner Welt.
Er stand am Strand.
„Möwe!", rief er, „Sieh mein Glück und trag es
hinüber!"
Das war das erste Gedicht.
Ein andermal stand er dort in Sorge.
„Möwe!", rief er, „nimm meine Qual mit dir.
Lass den Allerhöchsten davon wissen."
Das war das erste Wort über Gott.
Die Möwe kehrte nicht zurück. Als bedürfe es
keiner Botschaft.
Da wandte der Mann sich auch ohne Flug der
fernen Kraft zu und sprach mit ihr.
Das war das erste Gebet.

Vernünfteleien

K.d.r.V.

Sie trafen sich im Treppenhaus und blieben stehen und schwatzten wie manches Mal, die alte Nachbarin und das Mädchen. Es trug seine Schulmappe unter dem Arm.

„Ja", meinte die Alte und hielt sich am Geländer fest. Mit der anderen Hand strich sie sich durch das schüttere Haar. Ihr Kleid war schlicht und sie selbst war es auch. Sie hörte gern von den Wissenschaften und Thesen, und das Mädchen übte sich vernunftvoll in den Erklärungen.

„Die Forschung dient nicht nur einem Zweck", sagte es, „sondern der höheren Bestimmung des Menschen zu seiner Sittlichkeit."

„Ja", meinte die Alte wieder und ordnete noch Mal ihre Frisur oder ihre Gedanken. „Aber Gott ist immer dabei."

Sie verstanden sich gut und trennten sich für heute. So tat es ja auch Gott damals mit den Wissenschaften.

Im Gefrierlager

Verdammt! Jetzt machte der auch noch draußen das Licht aus.

Also war es kein Spaß. Es war Hass!

Sein Handy steckte draußen in der Manteltasche. Die Handschuhe hatte er hier.

Er kannte den großen Raum, minus 20 Grad.

Ein grünes Standby-Licht.

Nun also.

5 mal Liegestütz. 15 mal Hampelmann. Je 12 mal Zehenstand und Faustschluss. 12 mal Gesäßklemme und Knautschgesicht.

100 Schritte Dauerlauf im Stand. Noch mal: Liege, Hampel, Zehen und Faust, Gesäßklemme und Knautschgesicht, Dauerlauf.

Außer Atem. Nicht nachgeben! Den Durst musste er übergehen.

Hampel, Zehen, Knautsch, laufen ...

Er turnte die ganze Nacht.

Um 6 Uhr früh hörte er den schweren Riegel.

Er stand schon bereit. „Okay", sagte er, „gehen wir..."

Tatsachen

Auf dem Heimweg saß die Gestalt noch immer im Garten des Nachbarn, oben auf der Teppichstange. Die Straßenlichter reichten nicht bis ganz hin. Sie war knochig. Hatte sie keine Beine? Sie hielt sich nicht fest. Der Blick der Augen wartete auf unseren Gruß. Wie durch Hauch wölbte und dellte sich das Kleid, eine helle Hülle. Aber es war windstill. Wir hasteten flüsternd vorüber.
Später trennten wir uns, wohnten hier und dort, jeder ging seiner Ausbildung nach. Gelegentlich erzählten wir unseren Freunden von dem Geist auf der Querstange. „Ja natürlich!", sagten alle, „davon hat doch schon jeder gehört."

Schwere Zeiten

Gestern Nachmittag und als ich um die Ecke bog in unserer kleinen Stadt, sah ich vor mir einen Mann, kaum zehn Meter leicht bergauf, einen Mann in abgewetzter Kleidung. Er trug eine Geige. Wie entkräftet schleppte er sich hin mit seiner leichten Last, einem Geigenkasten, nein: dem Kasten einer Kindergeige. Er hielt den Kindergeigenkasten auf dem Arm, als trage er sein Kind.

Epigramm am Weidenzaun

Während die Kuh rupft und mahlt und ihr Euter füllt,
alles nebenher und ganz von selbst,
denkt sie,
denkt und denkt,
und rupft und mahlt
und schwenkt mit dem Schwanz nach den Fliegen,
und denkt über alles nach,
ganz von selbst.

Serenade

Manchmal ist es so lautlos im Garten, als sei die lärmende Welt gerade eben abgeschaltet worden. Auch der Wind schweigt. Da setzt die Amsel ein und malt ihre Melodien als Ornament in die Stille. Ich möchte es fassen. Serenade für Amsel und Streichorchester. Zuerst ein Teppich von Blumenbeeten, pianissimo, daraus die Stimme der Solistin sich erhebt. Ihr Thema wird durchgeführt, variiert. Die Rohrammer aus dem Schilf setzt ein, psalmodierend und taktübergreifend. Auch mein Leid singt. Jede Modulation ist Verführung. Sie nimmt mich mit, ich finde kein Zurück.

Die Gruppe schattiger Bäume sammelt sich rhythmisch zu Skulpturen aus Bässen, nicht zu monumental, stützt die zerfließenden Streicherstriche der gelben Felder. Es geht um die Amsel. Ihr Lied löst sich nun auf im weichen Licht der späten Sonne. Behutsam bindet es Farben und Linien und löscht sie. Der Abgesang vollendet sich nicht. Just jetzt lässt die Sängerin mich allein und fliegt aus meinen Klängen.

Vertrautes Bild

Da geht die Alte – drüben auf dem Bürgersteig,
geht krumm, gebrechlich, stumm, und ihre Hand
streicht sorgsam glättend übers Haar, das dünne.
Sie trägt ein Stückchen Tod mit sich spazieren,
eine Last, wenngleich ein Stückchen nur, wer will
denn aber schon für ihn Reklame gehen? Er hat
sich bei ihr eingenistet. Schau doch weg, du
kennst sie nicht, die Frau, die Last, du brauchst
sie nicht zu grüßen, sprich nicht über ihn. Auch er
ist ohne Worte. Ihre Zeit ist abgelaufen, fremd
und leer, sie schafft sie nur zuende hin, als gehe
sie einer Pflicht entgegen. Und doch: sie hat so
viel zu denken.

Langsam setzt sie einen Fuß und auch den andern
auf den Weg und setzt den Stock voran wie einen
dritten Schritt, der Blick geht mit, gebeugt in
Sorge ob der kleinen Hindernisse. Ihr Leuchten
spielt nichts mehr herüber, niemand nimmt es auf.
Man stellt sie in den Winkel, die liebe Alte, die
den Tod beherbergt, den auch sie nicht will. Er
nähret sich aus ihrem Körper, kleidet sich mit ihr.
Verlegen hüllt sie ihn in einen Mantel, schützt
sich, ihn, und hält sich einen Augenblick am Git-
terzaun, und liebkost eine von den Rosen, geht
und kauft sich was, nur weniges. Man sieht sie
jeden Morgen. Sie bringt ihr Brot nach Haus und
isst für sich und ihn, und bleibt allein, sie hat nur

ihn, und freundet sich deshalb mit ihm an. Nun wächst er groß heran und wird ein Vater, der sie weiter führt und dem sie willig folgt.

Auf der Reise

Ich helfe Ihnen den Koffer ins Netz zu heben ... setzen Sie sich ans Fenster ... Richtig behaglich hier! ... Jetzt fährt der Zug ab ... Wie schön Sie sind ... oder: anmutig und unverjährt ... sozusagen voller Zukunft ... Wie soll ich Sie anreden? ... Starren Sie meine Kleidung nicht so an, sie ist unmodisch ... Ich lebte bis kürzlich im Kloster und entschloss mich dann doch anders, in letzter Minute ... Heißen Sie Maria oder etwa Eva? ... Entschuldigen Sie mein Tempo ... aber der Zug fährt auch schnell ... Ich habe viel vor, Physik und so ... Ich bin nur jetzt ein Stümper ... Jedoch ... unsicher bin ich mir nicht, im Gegenteil! ... Und so frage ich, ehe der Zug wieder anhält: Wollen Sie mich heiraten?

Eine Reise nach Athen

Kaum zwanzig Jahre ist es her, dass junge Leute ausschwärmten, um die Kultur persönlich in Augenschein zu nehmen.

„Hier auf der Welt findet alles statt, sonst nirgends", sagten sie.

Mit verbilligtem Flugticket, Rucksack und Landkarten zogen sie los, allein, zu zweit oder in kleinen Gemeinschaften, und der Tatendrang platzte aus den Nähten.

„Zuerst zu den alten Griechen!"

Unsere hier sind zu dritt gewesen, Zufallsgefährten in blauen Jeans: ein blonder Schwede, ein Hüne seiner Art, und zwei stämmige Schüler aus Westdeutschland: Der eine mit Brille, der Kumpel mit flaumigem Kinn.

„Zuallererst die Stadt Athen!"

Ihr Flair und ihr Mythos.

Anderes Geld, zergriffene Scheine, fremde Münzen.

Der Frühling steht österlich auf den Hängen mit roten Mohnblüten zwischen trocknem Gestein und Agaven.

Taverna! Harziger Retsina! Griechischer Salat!

Der Schwede wird ganz toll vor Lust.

„Und kennst du Onassis? Papandreu?"

„Ja!"

„Perikles? Sokrates?"

„Äh? Aber Alexis Sorbas!"
Er setzt ein paar Tanzschritte aus diesem Film und singt dazu.
Die beiden anderen ahmen es nach mit Ungeschick und Gelächter. Nun ist der Neue ihr Freund.
Die Autos gleiten vierspurig hupend in langen Bändern, als seien sie auf gemeinsamer Flucht.
Bunte Plakate rufen zur Wahl auf.
Das lässt Touristen kalt.
„Jetzt sind wir dran!"
Ihre Stimmen sind noch rau.

Die Atmosphäre riecht nach Ägäis, Mittelmeer, nach großen Fähren und ruderbemannten Trieren. Fünf hohe Säulenstümpfe beieinander ragen mitten in den Lärm der Stadt.
„Wie weiße Schwestern. Ionische Kapitelle."
„Gib nicht so an."
„Da oben liegt die Akropolis."
„Los! Gleich jetzt!"
„Sachte, sachte..."
„Hübscher Mädchentyp hier, städtisch herausgeputzt, hätte man kaum erwartet."
„Das holen wir morgen nach."
Erst durch die Altstadt mit den Gassen. Blumige Balkons kleben am Gemäuer über winkeligen Treppen. Überall elektrische Leitungen wie Wäscheleinen mit Porzellananschlüssen. Glühbirnen, Blumentöpfe. Da hocken Kanarienvögel in höl-

zernen Käfigen, als gelte es aufzupassen. Frauen stehen miteinander, lachen, schwatzen, quirlen die fremde Sprache heraus.

„Kalimera die Damen!"

Im stuhlgefüllten Kaffeneion sitzen ihre Männer und gucken und schwingen am Handgelenk kleine Ketten. Aber der alte Dionysos lehnt sich über die Theke und hat es faustdick hinter den Ohren: als sei es sein Frühling.

„Los, wir erklimmen die Spitze der Stadt!"

„Es ist zu spät! Bis zur Akropolis rauf ist es stockdunkel!"

„Ja gerade! Stellt euch vor, die Lichter der Stadt zu unseren Füßen!"

So ist das junge Volk nun mal. Sie machen verrückte Sachen.

Hat da jemand Bedenken? Zwischen den Häusern sehen sie ihr Ziel erhaben vor sich hinthronen.

„Wir haben noch kein Quartier."

„Wir legen uns zwischen die Säulen und decken uns mit Sternendaunen zu. Die Eulen singen das Schlaflied."

„Oh ja", sagt der Schwede. Er hat sowieso kein Geld.

Brot ist noch da, drei Dosen Cola, für morgen. Also ab und bergauf die staubige Straße, als hätten sie eine Attacke zu reiten. Zwischendurch stärken sie sich mit dem verdünnten Rest aus der Ouzoflasche. Der gerbt den Gaumen. Die griechische Radiomusik der offnen Fensterflügel verklingt, der Smog und die Stadtgerüche machen dem Duft aus hundert abendlichen Pflanzen Platz. Vorbei geht's an den letzten Hütten, den Gärten, den Ziegen; und den allerletzten Einheimischen, die mit ihren Zigaretten am Wegesrand rumstehen und gar nichts im Sinne haben, vertrocknete Überbleibsel ferner Zeiten. Der Schwede besitzt eine gute Kamera, aber es ist schon zu dunkel und das Rot der Mohnblumen verblasst. Auch die Grünfinken huschen nicht mehr umeinander, weg sind sie im Busch.

Ein bisschen Lebensgebraus der Stadt dringt noch herauf, was kümmert das die Stille hier, für sie zirpt die Grille im dürren Gestrüpp. Man selbst wird auch ganz ruhig. Der Marsch wird langsam, das Gepäck auf dem Rücken hängt schwerer.
Jedoch der klare Nachthimmel mit den silbernen Fischchen Homers zieht die kleine Kolonne hinan, und der schmale Mond tut sein Bestes.
„Also keine Müdigkeit, Brüderlein, stell dich nicht an, du schaffst das."
Top-Snobs sind sie mit beinahe romantischen Herzen, Leute ihrer Gegenwart, Kerle von jetzt.
Sie suchen Spaß und Aufregung, das ist es.

„Aber warum bauten die das, die alten Griechen, dies alles, und dazu so weit von der Stadt entfernt und hoch oben?"

„So drückten sie es eben aus! Das war die Kultur ihres Zeus und der göttlichen Mannschaft. Die Menschen waren voll des Glaubens …"

„Hör bloß auf! Deine geistigen Aufschwünge reichen mir bis zum Hals. Warum man diese Tempel baute? So schulterte man die ewigen Göttertypen ins Abseits, auf einen Thron immerhin. Damit hatten sie sich zu begnügen!"

„Diese waren eine Art Untergötter. Zeus herrschte auf dem …"

„Du mit deiner Antike! Bildungsbluff."

„Na und?"

„Götter kennt man heute nicht mehr. Verkümmerte Greise ohne Saft, abgedrängt. Vielleicht hatte der Alte dort keine Konkurrenz? Oder es gab dort kein Hündchen, das ihm kläffend um die Knöchel fuhr?"

„Stolper hier nicht rum, bald sind wir da."

„Na ja, das war ja damals. Gott ist tot, sagt man, als wenn er mal gelebt hätte."

„Halt auf, sag ich dir!"

Der Schwede hört nicht zu. Seine neuen Stiefel knirschen auf dem Gestein. Er versteht nichts, der gute Junge, und ist froh, dass er mitgehen darf. Er rundet die kleine Crew angenehm ab.

Wer wäre denn hier der Star, wenn nicht der schweigsame Zuhörer? Für das letzte Stück klettern die Drei quer über die Hänge. Ihre Augen sind nun bestens auf die Dunkelheit eingestellt.

„Jetzt auf die Feldsteine, diese Mauer, die sie mal waren."

„Halt dich fest. Ich glaub', das ist ein Olivenbaum."

„Der letzte wirft die Rucksäcke hinterher. Alles Disteln hier drüben. Pass auf, rutsch nicht weg, okay, jetzt ins Gelände der Akropolis."

„Wer hätte das gedacht, ich hier!"

„Quatsch nicht rum, komm."

„Erst mal Luft holen. Guck bloß mal…"

„Red' nicht so laut!"

Sie nehmen den Trampelpfad zwischen den dornigen Sträuchern und Bäumen. Zypressen stehen gen Himmel. Die jungen Stimmen klingen ausgehöhlt, wie ohne Widerklang von den Mauern. Aber die Lichter der Stadt tief unten glühen noch, rote, gelbe, grüne Sterne im Meer. Der durchtränkte Wind reicht feucht bis hier herauf, als hätten Trierenruderer ihn aus den Wellen gehoben. Säulengruppen, Tempelruinen erheben sich als beseelte Silhouetten. Brocken, Stümpfe, Teile von Kapitellen liegen herum, haben das Mondlicht aufgesogen.

Aus den Ritzen quillt Kraut.

Ein Kaninchen hoppelt erschreckt durchs Geröll. Kein Mensch, kein Wächter, alles vergessen, zurückgelassen. Die Drei gehen näher heran, ihre Schritte hallen auf dem Gestein.

„Mann, soviel Schönheit in der Nacht!"

„Sucht ihr nur Schönheit?", fragen die Bauten stumm.

„Das waren Architekten, Hochachtung!"

„Und alles Marmor! Er schimmert sogar jetzt. Helles Ocker…"

Der Junge aus Schweden bückt sich nach einem Bröckel, steckt ihn ein.

„Mensch, ist das erlaubt?"

„Lass ihn doch, man wird ihn nicht erwischen."

Ringsum Stille und tote Pracht mit Mondenschein darüber.

Fragt niemand nach diesen Fremdlingen? Woher durchschifftet ihr die Wogen?, flüstert es aus den Säulen.

Flog da eine Fledermaus? Ruft da ein Kauz?

Die Luft ist nun kühl.

„Ich will mir das morgen bei Helligkeit noch mal ansehen."

„Jetzt ist jetzt. Kommt …"

„Langsam, langsam. Stellt euch das mal in Glanz und Feierlichkeit vor. Ihr stündet hier zwischen singenden Menschen in andachtsvereinter Menge und bei den Fackelträgern…"

„Ja, ja, großartig. Aber keines der Lieder ist überkommen."

„Fackelträger in hellen Gewändern. Dazu Hymnenklänge von Doppelflöten, und Tanzgesänge für die Unsterblichen. Man bringt blumenumkränzte Opfertiere, Hammel, Böcke, Mutterschafe. Die Hörner sind vergoldet. Die Menschen schweigen, beten, warten mit lodernder Fackel auch in ihrem Herzen, erwarten den kostbaren Brandgeruch der Flammen am Altar hier vor dem Tempel der Göttin Athene. Dann lösen die Priester die Sandalen beim Eintritt in das Heiligtum …"

„Wann hast du das denn gelernt? Das Überfeinerte ist nichts für mich, und dir steht es auch nicht."

„Wie von fernerer Höhe leben die Traditionen auf, und ebenso, was der blinde Homer …"

„Der langweilt uns!"

„ …seinen Leuten in kunstvoll gegliederten Versen erzählte von trefflichen, kampfeserprobten Mannen, götterumwölkt …"

„Lass doch endlich die überalterten Träume! Es bringt nichts, man rätselt nur daran herum. Du kommst denen von früher nicht näher."

„Lass mich…"

„Ihre Ewigkeit ist um! Das sind bloß noch Ruinen!"

„Du begreifst nichts!"

„Bilde dir man nichts ein. Nicht Leute wie du - nein, solche wie ich und andere haben die Tempel da hingestellt. Nur für die Götter? Oh nein! Wenn du so willst: Der Olymp stünde uns allen zu!"

Der junge Schwede bemüht sich nicht dem Gespräch zu folgen.

Er ist nun wirklich müde und gähnt dem großen Tempel mitten ins Gesicht.

„Kommt weiter, dahin!"

Das also ist der Parthenon, der Tempel der Athene mit seiner würdevollen Symmetrie: Als ob er ein Wissen beherberge oder bewache, ein Vorher und ein Nach-ihm.

„Mein Gott, die Säulen sind riesenhaft, das ahnte ich nicht."

„Aber kolossal wirkt er nicht."

„Was ist das denn? Der Parthenon ist eingerüstet, bis oben hin stehen Leitern und Gestelle, was soll denn das?"

„Der wird restauriert!"

„Ich guck mal nach."

„Bleib hier!"

Ja, so ist es. Die ganze Attraktion steht abgestützt. Majestät im Korsett. Nur eine Kletterpartie wert. Holzbalken, Stiegen, Podeste, längs und quer mit Brettern belegt.

„Ich geh doch mal rauf."

„Du kannst doch nicht…"

„Ich auch", sagt der Schwede. Jetzt dreht er auf, stellt sich dem Wettbewerb, sportlich in Form.

„Ich auch!", sagt er wieder.

„Es gehört sich nicht! Bleibt hier!"

„Hast du mir etwas vorzuschreiben? So hältst du mich erst recht nicht zurück, du Spießer, Bremsklotz! Wir legen die Rucksäcke hier ab. Oh, es tut gut, die Schultern frei zu haben. Du kannst ja unten bleiben und Wache schieben.

Mal sehen, ob die Leitern fest sind. Gute Arbeit hier.

Also ich erhebe mich nach da oben. Soll ich Zeus grüßen und sein Töchterchen Pallas Athene? Das ist die berühmteste aller hiesigen Weiber! Habt ihr noch einen Schluck für mich?

Also nicht. Pass schön auf die Sachen auf. Falls jemand kommt, versteck dich rechtzeitig."

„Bis nachher!"

„Ich werde von oben den Sonnenaufgang verfolgen."

„Ich auch", sagt der Schwede.

Und schon sind sie dabei, mit Händen, Armen und Stiefeln, mit Kraft und Geschick. Es ist ja auch nichts Besonderes.

Man hört sie keuchen, sie rufen sich etwas zu.

„Seid nicht so laut!"

Man muss sie bewundern. Schon erscheint der erste da oben, der junge Schwede, er balanciert, ein Scherenschnitt vor der Kulisse. Jetzt steht er in der Höhe des Bauwerkes, frei auf dem Gesims am Giebel, als sei dies sein Platz als Nachfahre jener Großen.

„Halloo!", er breitet weit seine Arme aus, der Glückliche:

„Kalimera, Zeus!"

Es schallt über die Antike. Aber welcher Gott antwortet schon?

„Kalimera, Zeus!"

„Mensch, halt dich doch fest!"

Wagt er sogar ein paar seiner Tanzschritte? Ja! Er hält die Hände wie zum Saitenspiel und trällert dazu.

„Kalimera, Zeus!", singt er und tänzelt Frohsinn und Spott.

Er schwankt ein bisschen, die Bretter federn. Da taumelt er wirklich, strauchelt, greift vorbei, findet keinen Halt.

Etwas knackst und bricht. Wo bleibt der Freund da oben?

Und was ist das! Ein langer Schrei, ein Krachen, Splittern, der Körper fällt tief durch das Gerüst und klatscht auf die steinernen Stufen.

Ein Brett kommt hinterher und noch eines. Dann ist es still.

So still wie längst nicht mehr.

Und als der andere endlich langsam, schwitzend, zittrig, außer Atem von der Leiter steigt, da ist der junge Blonde schon gestorben. Er liegt im Arm seines Reisegefährten mit starr offenen Augen, als sehe er woanders hin, von wo er seinen Blick nicht lösen könne.

Das Ende der Reise wurde für die beiden Jungen hart und ärgerlich: Keine Kenntnis der Sprache, Untersuchungshaft und kaum Geld. Verhöre, immer wieder Verhöre. Erst nach acht Tagen kam ein Herr von der Deutschen Botschaft und half und brachte sie zum Flughafen.

Günter Kolb

Als ich dem Engel begegnete

Als ich dem Engel begegnete, an diesem Tag, da ging es mir nicht gut. Doch das empfand ich sicher nicht so, denn es war eine Zeit, in der es vielen Menschen in meinem Land nicht gut ging, und deshalb hatte ich eigentlich gar nicht darum gebeten, dass mir ein Engel begegnen solle. Aber das haben Engel nun mal so an sich, dass sie gerade dann kommen, wenn man nicht darauf gefasst ist, und als Engel habe ich ihn auch nicht gleich erkannt. Denn er kam auf keiner Wolke daher, hatte keine Flügel, kein Engelshaar, keinen Heiligenschein um sein Haupt, keine Harfe, keine Trompete. Nur eine Engelsgeduld hatte er mit mir, und mit Engelszungen sprach er. Daran hätte ich ihn erkennen können. Doch als ich dies gewahr wurde, war er bereits wieder entschwunden.

Das ist also viele Jahre her. Ein Jüngling war ich zu jener Zeit, ein Halbstarker, so jedenfalls nannte man uns damals. Und auf der Flucht befand ich mich auch, obwohl es gar nichts mehr gab, vor dem man flüchten musste, denn der schreckliche Krieg war vor ein paar Monaten zu Ende gegangen. An dem abenteuerlichen Leben, welches danach für mich begann, fand ich anfangs noch Gefallen. Was hatte ich schon zu verlieren, meinen Koffer mit ein paar Habseligkeiten und mein Fahrrad höchstens, aber darauf gab ich immer gut acht. Mal ein paar Tage in einer Scheune hausen, dann weiterziehen, die Tage waren heiß und die Nächte lau. Überall traf man Weggefährten, Langeweile gab es nicht. Zwei Wochen durfte ich in einem alten Gasthaus auf Strohsäcken schlafen, tagsüber Torf stechen, dafür gab es gutes Essen und man hatte ein festes Dach über dem Kopf. Aber auf Dauer hielt es mich da nicht, und so fasste ich eines Tages den Plan, meine Reise ins Ungewisse fortzusetzen. Das Fahrrad hatte ich am Abend im nahe gelegenen Spritzenhaus versteckt. Am nächsten Morgen, vor Ende der Sperrstunde, sprang ich, von den Arbeitskollegen unbemerkt, aus dem Toilettenfenster, und weiter ging die Reise, Richtung Norden.

War ich an diesem Tag mit neuem Mut und Zuversicht gestartet, so kamen mir bald Zweifel an meinem voreilig gefassten Entschluss. Eine gute Arbeitsstelle hatte ich verlassen, wo schlaf ich heut Nacht, wo bekomme ich etwas für meinen ewig hungrigen Magen? Gewiss, Ähnliches hatte ich ja schon des Öfteren überstanden, aber so konnte es nicht weitergehen, und lustig fand ich dieses Zigeunerleben nun nicht mehr. Eine Adresse hatte mein Vater mir hinterlassen, in einem Dorf nahe der dänischen Grenze, da wären er und Rosemarie, meine jüngere Schwester, zu finden, wenn ich nicht mehr wüsste, wohin. Doch das waren noch mehr als hundert Kilometer, und bis ich dort ankomme, so meine Befürchtung, bin ich verhungert und verdurstet, denn ich hatte seit dem gestrigen Abendessen, abgesehen von ein paar Pflaumen, die ich mir unterwegs stibitzte, nichts mehr zu mir genommen.

Es war keine Ortschaft, die jetzt vor mir lag, nur ein einsames Bauerngehöft, ein recht großer Hof allerdings, wie mir schien; von einer starken Mauer umgeben, doch das Tor stand weit offen. Die werden ein Glas Milch für mich haben und ein Stück Brot, sagte ich mir, überwand meine Beklemmung und fuhr auf den Hof, wo ich einen alten Mann erblickte, welcher wohl der Bauer sein mochte. Klein, aber doch recht füllig stand er da, mit einer Schirmmütze auf dem Kopf; er wartete, bis ich zu ihm gekommen war, und schon der Blick, mit dem er mich ansah, verhieß nichts Gutes.

Wat wullt du? polterte er los, noch ehe ich ihn erreicht hatte. Betteln? Mok man gliks, det du wieterkummst, eh ick de Hund up di loslat. Vun so'n Gesindel, wie du, doar heb ick nu de Näs vull!

Das war deutlich genug. Ich drehte mich auf dem Absatz um, wollte den Hof schnellstmöglich verlassen. Aber halt, war da nicht ein Gesicht hinter der Fensterscheibe, ein ängstliches, und doch Vertrauen erweckendes Gesicht?

Mok, dat du furtkummst!

Die Stimme des Alten trieb mich zur Eile.

Das reichte. Wer war ich eigentlich? Ein Dreck, ein letzter Dreck? Wahrscheinlich. Denn die Besatzer, die da heut Vormittag mit ihrem Jeep herangebraust kamen und ihren Spaß daran fanden, mich zur Seite zu fegen, bewiesen es mir ja auch. Gab es denn keine Menschen mehr, nur noch Ungeheuer? Nein, hier auf diesem Planeten lohnte es sich wohl nicht, weiterzuleben. Ich fühlte keine Kraft mehr, mich auf mein Rad zu setzen, schlich müde die Straße entlang, stützte mich auf meinen Lenker. Nur nicht mehr umsehen, nicht mehr zurückschauen.

He, du da!
Wer war das? Wer wollte da plötzlich etwas von mir?
Und noch einmal rief es hinter mir: Wart doch einen Moment!
Was war das für eine Stimme? Wann hatte ich zuletzt so einen Laut vernommen? Träumte ich?
Ich blieb stehen, drehte mich aber nicht um.
Da stand sie auch schon neben mir, etwa fünfzehn oder sechzehn mochte sie sein. Und jetzt erkannte ich auch das Gesicht. Es war das, was ich dort auf dem Hof hinter dem Fenster gesehen hatte.
Du wolltest etwas zu essen, sagte sie, ein wenig außer Atem. Glaub mir, er hat das nicht so gemeint. Er ist sonst nicht so. Hat einen schlechten Tag heute.

Ach nein. Dann soll ich vielleicht morgen wiederkommen und fragen, ob er bessere Laune hat? Komm, sei jetzt nicht so beleidigt. Ich hab nicht viel Zeit. Fahre den Weg hier geradeaus weiter. Ungefähr fünfhundert Meter, da steht eine Scheune, auf der rechten Seite. Da gehst du hinein und wartest auf mich. Ich bringe dir etwas, es wird dir ein wenig weiterhelfen.

Und ehe ich noch etwas erwidern konnte, rannte sie mit wehendem Schopf wieder zurück in die Richtung, aus der sie gekommen, drehte sich dann noch einmal zu mir um: Es kann ein bisschen dauern. Aber ich komme. Bestimmt. Damit war sie meinen Blicken entschwunden.

War das ein Traum? Wer war das? Sie hatte ungefähr meine Größe, meine Statur, das lange blonde Haar zu einem Zopf geflochten, wie ich es von meiner jüngeren Schwester kannte, trug einen rot karierten langen Rock, eine blaue Schürze davor. Und nun? Wie hypnotisiert machte ich mich auf den Weg, schob mein Rad weiter, denn fahren mochte ich nicht mehr. Fünfhundert Meter, hatte sie gesagt, aber da war keine Scheune zu sehen. Hatte ich mich verhört? Ich lief und lief, die Beine taten's fast automatisch. Ah, da ganz hinten. Das war wohl etwas mehr als die angegebene Entfernung, aber sie stand da, die Scheune. Hell flimmerte die Sonne an diesem Nachmittag über den Stoppelfeldern. Ich schlich mich durch eine Seitentür, die offen stand, in das Gebäude. Es war leer, ein paar Strohballen lagen in einer Ecke. Die Tür ließ ich offen, legte mich auf das Stroh, nachdem ich mein Fahrrad und das Gepäck in einer kleinen Kammer, die ich noch fand, untergebracht hatte. Müde war ich, hundemüde. Und irgendwann bin ich dann eingeschlafen.

Die Sonne stand schon sehr tief, als ich aufwachte. Es musste schon spät sein, zu spät, um noch weiter zu fahren, obwohl, die Abende waren ja lang. Einen Moment überlegte ich. Sie war also nicht gekommen. Es hatte nicht geklappt, sie hatte nichts gefunden für meinen hungrigen Magen, den ich jetzt, komischerweise, gar nicht mehr so spürte. Was mich traurig machte, war die Enttäuschung, dass ich allein war. Sollte ich mich zurück schleichen, zum Bauernhof, versuchen, sie zu finden? Nein, sie hatte mich nicht belogen, ein Mädchen mit solchen Augen lügt nicht. Doch halt, was war das? Was stand da neben meinem Lager? Ein Karton. Ein Karton, aus dem es duftete. Eilig riss ich ihn auf. Ein Brot, ein ganzer Laib Brot lag darin, und ein Stück Hartwurst. Und eine Flasche stand da noch, die öffnete ich sogleich, nahm daraus einen kräftigen Schluck. Das schmeckte nach Brause. Wie lange hatte ich so etwas nicht mehr getrunken.
Eine halbe Stunde später sah mein Leben wieder ganz anders aus. Der Bauch war gefüllt, die Seele

zufrieden. Einiges vom Brot blieb noch übrig, ein Stück Wurst ebenfalls; ich musste ja, trotz meines Hungers, sparsam mit dem Vorrat umgehen. Wer weiß, wann ich wieder eine Mahlzeit bekomme, dachte ich. Doch wo war sie, die süße Kleine? Warum hatte sie mich nicht geweckt? Ich konnte mich doch nicht morgen früh einfach so davonstehlen, ohne ihr wenigstens noch Dankeschön zu sagen. Nein, das ging nicht.

Aber auch dieser Sorge wurde ich enthoben. Noch bevor die Dunkelheit hereinbrach, hörte ich die Tür knarren und wusste, das kann nur sie sein. Mit ruhigem Schritt ging sie zunächst in die Kammer, in der mein Fahrrad stand, kam dann auf mich zu, eine Taschenlampe in der Hand. So, als würden wir uns lange kennen, als wären wir verabredet, setzte sie sich zu mir, zog ihren langen Rock über die Knie und blickte mich an. Ihr langes Haar trug sie nun offen. Blass sah sie aus, jedenfalls schien es mir so. Und etwas Mütterliches hatte sie an sich, das sie um vieles älter und reifer erscheinen ließ, als ich es war.
Nun, hast du gut geschlafen? Hast du deinen Hunger ein wenig gestillt?
Ich brachte kein Wort heraus, schaute sie nur an, immerzu nur schaute ich sie an.
Was ist, hat es dir die Sprache verschlagen?
Ja. Ja, ich glaube, das ist alles gar nicht wahr.

Sie lachte. Komm, red keinen Unsinn. Ich hab nicht viel Zeit, wollte nur noch mal nachsehen, wie es dir geht. Muss gleich wieder zurück. Die vermissen mich sonst.

Wer sind „die"? fragte ich.

Die Bäuerin und die anderen auf dem Hof. Ich hab gesagt, ich geh zu meiner Tante, die ist krank. Ich käme gleich wieder.

Warum tust du das alles, wer bist du? Bist du überhaupt von diesem Stern? Wie kommst du dazu, mir das da alles zu bringen? Du lebst doch sicher auch nicht gerade in einem Schlaraffenland?

Wieder lachte sie. Nein, da leb ich wahrhaftig nicht. Aber ich hatte auch einmal Hunger, war auch einmal auf der Flucht, und man hat mir geholfen.

Ach so.

Was heißt hier ach so? Ist das nicht gut so, wenn man jemandem hilft, weil man ...

Ich dachte ...

Was dachtest du?

Ich dachte, du magst mich.

Einen Moment blieb es still.

Dann: Wie soll ich das denn nun verstehen?

Ich dachte, du hast mir das hier gebracht, weil du mich magst.

Sie lächelte. Was willst du jetzt von mir hören, du eitler Fratz? Natürlich mag ich dich. Aber du tatest mir auch leid, wie der Bauer dich da ...
Ich will kein Mitleid.
Ach, versteh mich doch jetzt nicht falsch. Du weißt genau, was ich meine. Mach dir mal ein paar Gedanken darüber, heut abend, bevor du dich da aufs Stroh legst. Ich hab jetzt keine Zeit mehr. Ich muss zurück.
Und ehe ich mich versah, hatte sie ihre Arme um mich geschlungen und mir einen zarten Kuss auf die Wange gehaucht. Machs gut. Ich wünsch dir gute Fahrt.

Damit verschwand sie.
In dieser Nacht habe ich sehr unruhig geschlafen. Obwohl ich keinen Hunger mehr hatte, keinen Durst. Obwohl mir ein Wunder geschehen war, ein unfassbares Wunder. Denn am nächsten Morgen, als ich meinen Koffer auf den Gepäckträger schnallte, fand ich darunter einen Zettel:
Fahr schön vorsichtig. Ich werde an Dich denken. Eines Tages wird es auch Dir besser gehen. Dann vergiss nicht, anderen zu helfen, die in Not sind. Alles Gute wünscht Dir Anne Marie Engel.

Ich stieg aufs Rad und fuhr los, in den hellen Morgen hinein. Alles ging plötzlich so leicht, so unbeschwert; es war, als hätte ich nur noch Rückenwind.
Wie schön, dachte ich, dass es noch Engel gibt.

Manfred Kolb

Liebesreise mit Hindernissen

Abwechslung und Zerstreuung, wie sie heute unter der Jugend en vogue sind, gab es Ende der 50-er Jahre des vorigen Jahrhunderts   noch nicht. Das Informationszeitalter mit seiner Medienvielfalt lag weit in der Zukunft. PC's, Internet, Handys, Discos waren noch unbekannt, es gab nur ein einziges stundenweise ausgestrahltes Fernsehprogramm in schwarz-weiß. Die Jugendlichen des Bürgertums vergnügten sich daher mit Kinovorstellungen, Hörfunk und auf Tanztees, die wie Pilze aus dem Boden schossen.

Tanzschulen hatten damals einen regen Zulauf. Auch meine Eltern drängten mich zu einer Teilnahme, denn ich sollte für die Ballsaison und für Veranstaltungen der feinen Gesellschaft klassische, lateinamerikanische und auch moderne Tänze lernen.

Auf einem dieser Tanzkurse der Schule Heinrici und Wendt lernte ich, 20 Jahre jung, Student der Philosophie, Annemarie von Seebach, 17 Jahre jung, Abschlussklasse eines Lyzeums, kennen.

Sehr schnell wurden wir feste Tanzpartner. Denn wir passten von der Statur her und später auch aus anderen Gründen gut zusammen. Meine Partnerin war gertenschlank mit einem ebenmäßigen Gesicht und vollen Lippen. Ihre fast slawisch anmutenden hohen Wangenknochen verliehen ihr ein majestätisches Aussehen, was nur durch ihre burschikos anmutende Ponyfrisur mit schulterlangem dunkelblondem Pferdeschwanz konterkariert wurde. Ihre tiefblauen unergründlichen Augen nahmen mich sofort gefangen. Ich verliebte mich auf der Stelle in diese anmutige Erscheinung, deren Knie züchtig mit einem Petticoat bedeckt waren, der ihre schlanken Beine wirkungsvoll zur Geltung brachte.

Wir waren im Tanz beide nur mittelmäßig begabt und stolperten gelegentlich gegenseitig über unsere Füße, was uns zur Einsicht brachte, dass Tanzen die herrlichste Betätigung auf der Welt wäre, wenn es nicht diese Extremitäten gäbe. Aber die Unterrichtsstunden hatten auch Vorteile: man konnte bei bestimmten Tänzen seine Partnerin etwas enger an sich drücken, als es sich in dem steifen Rahmen ziemte und spüren, ob dieser Druck erwidert wurde. Kein Wunder, dass wir bald den langsamen Slow Fox bevorzugten. Irgendwann, als ich meine Partnerin nachhause brachte, nahm ich ihre Hand, die sie mir nicht entzog. Und kühn, wie ich damals war, raubte ich ihr vor der Haustür den ersten Kuss, was mir die einzige Ohrfeige einbrachte, die ich von ihr je erhielt. Da sie nicht kräftig genug ausfiel, um mich nachhaltig zu beeindrucken, versuchte ich es mit dem Kuss beim nächsten Mal wieder, ohne auf irgendeinen Widersand zu stoßen. Auch sie hatte sich bald in mich verliebt; wir schrieben uns kleine Liebesbriefe, Gedichte, und taten all' die verrückten Dinge, die Liebende seit je her zu tun pflegen.

Die autoritäre Erziehung, der Annemarie und ich ausgesetzt waren, ließ uns wenig Spielraum für ein ungehindertes und ungestörtes Zusammensein. Wir hatten, da wir beide als noch nicht Volljährige wie nahezu alle Jugendlichen bei den Eltern lebten, von den Erziehungsberechtigten vorgeschriebene Zeitfenster, die wir außerhalb des Elternhauses nur mit vorheriger Ansage verbringen durften, wo wir uns mit wem warum treffen wollten. Diese Überwachung führte dazu, dass sich Liebespärchen Ausreden und Lügen ausdenken mussten, um einmal ungestört zusammen sein zu können.

Die festen Moralvorstellungen - zumindest was der Umgang des männlichen mit dem weiblichen Geschlecht betraf -, führten dazu, dass es unschicklich und somit undenkbar war, dass Jungen und Mädchen zusammen unter einem Dach nächtigten, ohne Aufsicht zu zweit Urlaub zu machten oder gemeinsam ein Wochenende miteinander verbrachten.

Wer von den Jugendlichen eine „sturmfreie Bude" hatte oder über einen wohnlichen Kellerraum verfügte, war bei den jungen Liebespaaren beliebt. Die so genannten Liebesnester im Keller wiesen immer ein ähnliches Interieur auf: ein ausrangiertes Sofa oder eine Matratze, einen klapprigen Stuhl, einen alten Klapptisch, auf dem eine bauchige Flasche thronte, die mit einer Kerze bestückt war. Kaskaden von Wachsströmen zeugten vom häufigen Gebrauch dieser raren Etablissements.

Besonders die elterliche Besorgtheit um die Unberührtheit der Töchter brachte eine besonders strenge Kontrolle der Mädchen mit sich, was Annemarie und mir sehr zu schaffen machte.

Die Besorgnis hatte ihren Grund darin, dass zu der damaligen Zeit eine Tochter aus gutem Hause unberührt in die Ehe ging. Die Furcht vor einer ungewollten Schwangerschaft war groß – diese kam in ihren Folgen nämlich einer gesellschaftlichen Ächtung gleich.

Annemarie und ich hatten - wie viele andere Jugendliche auch - weder zuhause noch in der Schule eine ausreichende Sexualaufklärung erhalten. Die Pille gab es noch nicht. Verhütungsmethoden wie Knaus-Ogino waren rechnerisch kompliziert und unsicher, an Verhüterli kam man als Jugendlicher nicht heran. Die gab es nur in Drogerien oder Apotheken und wurden nur an Erwachsene verkauft.

So war auch unter den Jugendlichen die Angst vor den Folgen eines ungeschützten Beischlafs nicht gerade gering.

Von meiner Existenz durfte Annemarie in ihrem Elternhaus nichts verlauten lassen, einmal, weil sie dann ein Ausgehverbot erhalten hätte, zum anderen, weil ich nicht standesgemäß war. Annemarie entstammte einer Adelsfamilie, die ausschließlich in ihren Kreise verkehrte.

Irgendwann hatte Annemarie ihre Freundeswahl aus bürgerlichen Kreisen ihren Eltern gebeichtet. Da ich einer Professorenfamilie entstammte, wurde ich immerhin zu einem Antrittsbesuch eingeladen, was damals zu Sitte und Anstand gehörte.
Nach diesem Besuch, bei dem ich darauf hinweisen konnte, dass mein Urgroßvater mütterlicherseits ein Freiherr war, gingen die Eltern von Annemarie zwar gnädig mit mir um und erlaubten ein von Sitte und Anstand getragenes Zusammensein mit ihrer Tochter, aber den echten Stallgeruch eines Adelsjünglings wies ich für sie mit dem fehlenden „von" dennoch nicht auf.

Das zweite einschneidende Erlebnis mit der Adelswelt hatte ich dann bei einem Adelsball im Winterhuder Fährhaus, wohin mich Annemarie mit Erlaubnis ihrer Eltern mitnahm. Sie in einem rauschenden Ballkleid, Pailletten bestickt, mit Petticoats aufgeplustert, im Haar ein Diadem mit 5 Diamanten, und ich im Smoking, so betraten wir das Entrée der Veranstaltung, wo die Gastgeberin, die Fürstin Dombrowsky, ihre jungen Gäste aus dem Adelsrang erwartete. Die alte, schon sehr gebrechlich wirkende, Dame saß in einem Ohrensessel, um die Honneurs der Gäste entgegen zunehmen. Als meine Baroness und ich in der langen Schlange endlich bei der Fürstin angekommen waren, zelebrierte meine Begleiterin den einstudierten Hofknicks, während ich sie und dann mich namentlich vorstellte. Irgendetwas an meiner Vorstellung musste sie irritiert haben, jedenfalls hob sie ihr Lorgnon an ihr rechts Auge und fragte mich mit dünner Stimme: „Habe ich richtig verstanden? Kolb? Schlicht Kolb?" Ich konnte die Geringschätzung in ihren Augen ablesen, als ich mich mit Annemarie in den Ballsaal begab, wo wir unsere Fortschritte im Tanzkurs einmal vorzeigen konnten.

Leichtsinnigerweise habe ich das Erlebnis mit der Vorstellung bei der Fürstin später meinem besten Freund erzählt: bis heute werde ich in eingeweihten Kreisen mit „schlicht Kolb" angeredet...

Nach diesem „Vorfall" überwogen doch die Ressentiments der Eltern meiner Freundin mir gegenüber. Annemarie wurde fortan von einem Adelsball zum anderen geschickt, um dort das passende adlige Gegenstück, möglichst im höheren Adelsrang, als genehmen Freund kennen zu lernen. Ich war eben nicht standesgemäß und daher letztlich nicht der angemessene Umgang für ihren Sprössling.

Einmal hatte ich mich auf einen dieser ständig stattfindenden Adelsbälle eingeschlichen, die auch als Heiratsmarkt fungierten, um meine „Ansprüche" auf die junge Adlige öffentlich zu demonstrieren. Als ihre Eltern das zu wissen bekamen, verbot man ihr kurzerhand den Umgang mit mir.

Fortan trafen wir uns heimlich. Annemaries Freundin war eingeweiht und diente als Alibi für unsere Treffs in Parks, im Kino und natürlich auch in den besagten Liebesnestern.

Eines Tages überraschte mich meine Baroness mit der Nachricht, dass ihre Eltern sie während der Sommerferien für zwei Wochen zur ihrer Tante nach Kampen auf Sylt schicken würden; sie sollte sich dort abseits vom Trubel und von den Verlockungen der Großstadt auf das Zwischenzeugnis zum bevorstehenden Abitur vorbereiten. Die Tante war von ihren Eltern zu strenger Aufsicht verpflichtet worden, was uns aber nicht hinderte, einen gemeinsamen Urlaub fern von elterlicher Aufsicht und Kontrolle verbringen zu können. Zwei Tage nach ihrer Ankunft auf Sylt reiste ich ihr heimlich nach und nahm mir, nicht weit von ihrer Unterkunft entfernt, ein Privatzimmer.

So oft es ging, verbrachten wir nun Tag um Tag zusammen, spazierten am weitläufigen Strand entlang, fuhren mit der damals noch verkehrenden Insel-Eisenbahn, von den Einheimischen liebevoll „Käseschieber" genannt, von einem Inselende zum anderen, nahmen nackt Sonnenbäder in den Dünen, badeten und liebten uns trotz der Risiken einer ungewollten Schwangerschaft, sooft uns danach war.

Wir waren glücklich und die Zeit spielte für uns keine Rolle. Dass wir nachts nicht zusammen sein konnten, störte uns nicht: es gab auch tags genügend abgeschiedene Orte in den Dünen und im Kliff, in einem verfallenen, halb den Steilhang hinuntergestürzten Bunker, in einer verfallenen Hütte, in verlassenen Strandkörben, die wir zusammenstellten oder die wir über uns deckten, unter Booten, die kieloben am Strand gelagert waren und unter denen wir Schutz vor neugierigen Blicken suchten. So schufen wir uns unsere eigenen Liebesnester, voller Romantik und Zärtlichkeit.

Dass wir als Alibi für Annemaries unermüdliche Büffelei fürs Abitur stets ihre kleine Aktentasche mit den Büchern mitschleppen mussten, störte uns nicht. Es kam uns wie eine süße Last vor.

Eines Tages überraschte sie mich mit der Ankündigung, dass sie mit ihrer Tante in Westerland bummeln gehen und im Cafe „Stranddistel" ein Kaffeestündchen einlegen würde.

Ich hatte mir überlegt, die beiden im Cafe zu überraschen. Annemaries Tante quasi als zufällig vorbeikommender Urlauber kennen zu lernen, konnte nützlich sein. Falls sie uns später einmal über den Weg laufen würde, müsste sie das der

Bekanntschaft im Cafe zuordnen. Ich war daher rechtzeitig mit dem Käseschieber nach Westerland gefahren. Die Gelegenheit, auch einmal ein bisschen mit dem Feuer zu spielen, wollte ich mir nicht entgehen lassen.

Ich entdeckte die beiden schon von weitem: Annemaries hübsches, gelb gestreiftes Sommerkleid, das ihre wohl geformte Figur mit den schlanken Beinen und dem apfelförmigen Busen nur mühsam verbarg, fiel mir sofort ins Auge. An dem Dreiertisch des mit Sommerurlaubern gut besuchten Cafes war noch ein Platz frei, den ich zielbewusst ansteuerte. Als Annemarie hochblickte und meiner ansichtig wurde, konnte ich ein leises Erschrecken in ihren Augen wahrnehmen und die stumme Aufforderung, weiterzugehen. Aber dafür war es schon zu spät. Die Tante, eine etwas mollige Mittdreißigerin mit strohblonden Haaren, die zu den tiefbraunen Augen nicht so recht passen wollten, musterte mich kurz und fragte mich freundlich,: „Suchen Sie etwas, junger Mann?" Von ihrer direkten Frage überrumpelt, antwortete ich zögernd: „Ich suche einen Platz, um eine Tasse Kaffee zu trinken". "Aber dann setzen Sie sich doch", fuhr sie fort und wies auf den freien Platz neben ihr. Als ich mich niedergelassen hatte, spürte ich einen heftigen Tritt gegen mein Schienbein, dem ein zweiter noch heftigerer folgte. Ich bestellte unbeeindruckt von Annemaries

Attacken meinen Kaffee und verwickelte beide Damen mit leicht bayrischem Akzent, den ich von meiner in München verbrachten Kindheit her beherrschte, in einen Smalltalk, sorgsam bemüht, meine Bekanntschaft mit dem kratzbürstigen jungen Mädchen nicht erkennen zu lassen.

Ich fragte, ob die beiden Einheimische seien, mir Ausflugstipps geben können, denn ich sei zum ersten Mal auf Sylt, und wollte soviel wie möglich erleben.

Ich hatte mich gerade dazu entschlossen, die Runde zu verlassen, als Annemarie mich plötzlich direkt ansprach: „Sagen sie, haben Sie eigentlich keine Freundin?", fragte sie mich mit einem leicht spöttischem Zug um ihre Mundwinkel. „Doch", antwortete ich geistesgegenwärtig, „aber sie hat leider keinen Urlaub bekommen". Darauf entgegnete sie: „Typisch Mann. Schäkert hier mit zwei wildfremden Damen am Urlaubsort herum, während die eigene Freundin zu Hause ist. Wenn ich ihre Freundin wäre, würde ich Ihnen sofort den Laufpass geben".

Die Tante, vom Ausbruch Annemaries überrascht, blickte ratlos ihre Nichte an, deren empörter Blick mir galt. War das nun gespielt oder echt, fragte ich mich. Ohne das herauszufinden, zahlte ich und verließ den Ort des unrühmlichen Geschehens.

Es kostete mich später am Nachmittag einige Erklärungen und Entschuldigungen, um das leicht getrübte Verhältnis zwischen uns wieder in eine unbeschwerte Urlaubsstimmung umzuwandeln.

Ich erinnere mich gerne an diese unbeschwerte Urlaubszeit, an unsere Liebe, an Zärtlichkeit und Liebkosungen, das Beieinanderliegen, die Nähe des nackten Körper des anderen...

Eines Tages war die Stunde der Heimreise gekommen. Wir trafen uns am Bahnhof und bestiegen den D-Zug nach Hamburg. Kaum hatten wir unsere Koffer im Abteil verstaut und einander gegenübersitzend am Fenster Platz genommen, als die Abteiltür aufgeschoben wurde und eine freundliche Stimme mit dem Ausdruck leichten Erstaunens fragte: „Annemarie, bist Du es?" Die Angesprochene war trotz ihrer Urlaubsbräune im Gesicht etwas blass geworden und bat aus Höflichkeit die Dame ins Abteil. Als diese noch einmal in den Gang heraustrat, um ihren Koffer hereinzuholen, flüsterte mir meine Freundin hastig zu: „Das ist meine Klassenlehrerin   Keine Ahnung, was die hier macht. Manfred, bitte tue so, als ob wir uns nicht kennen. Meine Lehrerin ist mit meinen Eltern eng befreundet und würde denen bestimmt von uns erzählen!".

Als der Zug den Hindenburgdamm passiert hatte, brach ich das allgemeine Schweigen und fragte, von meinen Erfahrungen beim Cafebesuch in Westerland zehrend, mit meinem angelegten leichten bayerischen Akzent die beiden Damen: „Waren Sie auch im Urlaub auf Sylt?" Als beide das bejahten, stellte ich mich vor, und erfuhr so den Namen der Klassenlehrerein, Frau Clarissa von Leppin. Ein Wort gab das andere und bald tauschten wir drei Urlaubserinnerungen aus, wobei Annemarie und ich es peinlichst vermieden, einander zu duzen und uns liebevoll anzusehen. Fast hätten wir uns einmal verraten, als ich ein Urlaubserlebnis schilderte und meine Freundin mich im Geschehensverlauf korrigieren wollte. Im letzten Moment bemerkte sie die verfängliche Situation und verwies auf eine gelesene Zeitungsmeldung. Dann sprachen wir über mein Studium, die Anforderungen an das Abitur, über Vor- und Nachteile der Koedukation (es gab schon vereinzelt gemischte Klassen) und natürlich über Hobbys. So verging die Zeit.

Als der Schaffner das Abteil betrat, um die Fahrtausweise zu kontrollieren, stutze er bei meiner Fahrkarte, die ich ihm zusammen mit meinem so genannten Würmeling entgegen hielt: "Den Namen Kolb habe ich eben schon einmal gelesen", murmelte er kopfschüttelnd (dem geneigten Leser muss ich an dieser Stelle erklären, dass der

„Würmeling" ein Ausweis war, der Familien mit mindestens 3 Kindern zustand, die dann zum halben Fahrpreis die Deutsche Bundesbahn benutzen konnten). Da diese Ausweise verhältnismäßig selten ausgestellt wurden, war es erklärlich, dass dem Schaffner eine Namensgleichheit auffiel. Mein Bruder, durchfuhr es mich blitzartig, mein Bruder musste im Zug sein. Aber der war doch im Jugendlager auf Puan Klent. Sollte die Jugendfreizeit schon zu Ende sein?

Ich wollte mich gerade auf den Weg machen, um ihn zu suchen und ihn in die besondere Situation einzuweihen, da tauchte schon sein vertrautes Gesicht an der Abteiltür auf. Erstaunt blickte er erst mich und dann Annemarie an. Und ehe ich etwas sagen konnte, ergriff er das Wort: „Hallo Ihr zwei! Da laufe ich so nichts ahnend durch den Zug und wen treffe ich da? Meinen Bruder mit seiner Allerliebsten. Wenn das keine Überraschung ist". Eisiges Schweigen breitete sich aus. Jetzt war alles aus. Das Versteckspiel war aufgeflogen. Die Klassenlehrerin blickte verständnislos von einem zum anderen. Als Annemarie und ich weiter in Schweigen verharrten, sagte sie, ihre Schülerin und mich nicht aus den Augen lassend: „Ihr kennt Euch also, Sie Herr Kolb und Annemarie? Wenn das keine Überraschung ist! Ich sollte wohl von Eurem gemeinsamen Aufenthalt auf Sylt nichts merken, deshalb das Versteckspiel vor mir. Und wie ich Deine Eltern kenne, Annemarie, wissen die sicher nichts davon". Annemaries Gesicht überzog eine leichte Röte. „Eines muss ich Euch beiden lassen" und dabei blickte sie uns gar nicht streng und strafend an „ das war eine perfekte Vorstellung"!

Und zu meiner Überraschung fuhr sie fort, mich dabei freundlich anschauend: „Hätten Sie, Herr Kolb, nicht Lust, in unserer Theatergruppe, von der sie sicher durch Annemarie wissen, mitzumachen? Wir suchen noch einen jugendlichen Liebhaber für das Stück, das wir gerade mit der Abitursklasse einstudieren. Sie wären als Lysander in Shakespeares „Ein Sommernachtstraum" hervorragend geeignet, wovon ich mich eben überzeugen konnte. Ihre Freundin studiert nämlich gerade die Rolle der Hermia ein und einen passenden Liebhaber haben wir noch nicht gefunden. Ihre Annäherungsversuche an das ihnen gegenüber sitzende unschuldige Geschöpf waren hervorragend gespielt!"

Ich sagte begeistert zu, denn so hatte ich Gelegenheit, Annemarie auch einmal offiziell nahe sein zu können. Die kleine Bedingung, dass Frau von Leppin den Eltern von Annemarie nichts von unserem gemeinsamen Urlaub auf Sylt verraten sollte, wollte sie als Klassenlehrerin gerne erfüllen: sie sei ja schließlich in einer noch viel strengeren Zeit als heute sehr jung bis über beide Ohren verliebt gewesen und fühlte sich durch unsere Camouflage spontan an diese Zeit erinnert.

Mit Gesprächen, Neckereien und Schilderungen der Erlebnisse während des Urlaubs (wobei wir natürlich den Eindruck fortwährender Tugendhaftigkeit im Beisammensein miteinander zu erzeugen versuchten), verging die Zeit wie im Fluge. Als wir uns Hamburg näherten, machte uns die uns immer mehr zugetane Klassenlehrerin darauf aufmerksam, dass Annemaries Eltern bestimmt auf dem Bahnsteig stünden, um ihre Tochter nach einem zweiwöchigen Urlaub in die Arme zu schließen. Gemeinsam überlegten wir wie eine verschworene Gemeinschaft, was zu tun sei, damit ich nicht zufällig entdeckt würde. Da wir nicht wussten, wo die Eltern auf Annemarie warteten, schien uns der einzig sichere Versteck die Zugtoilette zu sein. Da sich kein besserer Vorschlag erhob, schloss ich mich am Ende des Waggons in die Toilette ein. Ich wartete bis der Zug hielt und die Geräusche der Aussteigenden verstummten. Dann gab ich noch ein paar Minuten drauf, um ganz sicher zu gehen. Plötzlich wurde an die Tür geklopft und eine herrische Stimme befahl: „Aufmachen! Bahnpolizei! Kommen sie sofort da heraus"! Als ich die Tür öffnete, erblickte ich mehrere Reisende und zwei Bahnpolizisten, die mich triumphierend ansahen. „Sie wurden beobachtet, als Sie sich beim Einlaufen des Zuges in den Bahnhof hier einschlossen und nicht wieder herauskamen. Sie haben wohl keine Fahrkarte. Das kennen wir schon. Ihren Ausweis bitte".

„Mit meinem Ausweis kann ich ihnen nicht dienen", entgegnete ich, "der befindet sich in meinem Gepäck im Abteil, aber mit meiner Fahrkarte"! Ich reichte dem Bahnpolizisten meinen „Würmeling" und die dazu gehörige schräg durchgeschnittene Fahrkarte. Ratlos blickte er auf das, was er in der Hand hielt und dann mich an.

„Das verstehe ich nicht: Sie haben eine Fahrkarte und schließen sich für längere Zeit in der Toilette ein? Können Sie mir das einmal erklären"?

Als ich keine Antwort gab, reichte er mir die Ausweise zurück und verließ kopfschüttelnd den Zug.

So endete mein Urlaubsabenteuer mit Annemarie.

Etwas bleibt noch nachzutragen:

Natürlich erfuhren ihre Eltern von unserem gemeinsamen Urlaub.

Ich hatte nämlich Annemarie ein Oberhemd von mir geliehen, das sie gerne trug, wenn der kühle Abendwind sie in den Dünen frösteln ließ. Es war ja ein Stück von mir. Unser Pech war nur, dass da meine Initialen eingenäht waren...

Der eiligst zusammengerufene Familienrat beider Elternpaare nahm uns ins Verhör. Meine Eltern mussten akzeptieren, dass ihr Sohn wegen seines gegen jeden Anstand und jede Sitte verstoßendes

Benehmen kein akzeptabler Umgang für ihre Tochter sein könne.

Wenn Annemaries Eltern geahnt hätten, wie häufig, intensiv und lang die Theaterproben dauerten...

Nachtrag:
Einige Jahre später haben wir beide geheiratet – jeder standesgemäß, Annemarie einen Adligen und ich eine Bürgerliche.

Margitta Lambert

bin verlorengegangen
in der Stille des Raps
Gelb
strahlt
zu fernen Rändern
eingefangene Sonne
Tagauge
vervielfacht
himmlisches Strahlen
das mich erleuchtet
Goldgrund
auf dem sich mein Leben breitet

heiliger Garten

wie Sisyphos
leben mit diesem Fall
an und für sich
Höchstfall an Wiederholung
kein Einzelfall kein Sonderfall
kein unbedingter Glücksfall
immer wieder
immer wieder
von Grund auf
vom Grund

seit siebzehn Jahren in dieser Stadt
in derselben Agentur
am selben Schreibtisch
besuche ich dieselben Restaurants
denselben Friseur
kaufe in denselben Geschäften
und mein Wecker klingelt
jeden Morgen um halb Sieben

manchmal glaube ich
ich trage seinen Stein
auf meinen Schultern
und manchmal
tupfen wir uns
gegenseitig die Stirn
Sisyphos und ich

am Rand der Klippe
webt mir Wind
wildes Wasserhaar
raunt mir Meer
farbige Stimmen

im Himmelsglanz
auf Muscheltönen
tanzen
meine Lichtschuhe
schweben

ruhen
einen Lidschlag lang

allein auf dem Eis
See weiß Schnee weiß Himmel weiß warum

blendende Spiegel
in dieser entblößten Winterluft
ich laufe BogenachterSchlingenSpiralen
wie lange noch trägt das Eis
wie lange noch kreisen meine Eisen

im Knistern aus Rissen
zucken scharfkantige Töne
sie ziehen die Ringe enger
in knackender Winterstille

Zeit blühte an mir
verzehrte mich

Blumen und Gärten
fielen in mich

Halt finden
einmal noch
im bunten Spiegel

dann will ich mich schmiegen
an Luft
Leere
Abschied

mich zum Tanz bitten lassen
von dem Einzigen
der immer schon
war

über den Baumwipfeln
schwebt er
stark und stolz
der weiße Rabe
sein Schwarm verstieß ihn
eine Gefährtin wird er nie haben
seine Schönheit
treibt ihn
in die Arme
einsamen Todes

fahrtwindgezaust
zischen sie vorbei
Fetzen
dämmernder Bambuswälder
Shinkansen nach Tokyo

in rasender Beschleunigung
Menschenfetzen ich
gezaust zerschleunigt
Voreilige
ohne Halt Innehalt
Shinkansen nach Tokyo

noch drei Minuten

hinter meinem Spiegel
Knochengesang

auf der Fährte der Toten
sammelt sie
Rippen und Schädel
toter Wölfe
sammelt sie geduldig
Mondbeine
fügt sie zu Hand Skelett Statur
bettet sie in Wüstensand
hebt ihre Arme
singt
singt seine Gestalt herbei
seinen Wolfsatem
flieht
wird Frau
tritt hinter den Horizont

aus der Wüste
kommt ihr Geist
dort höre ich
Sterne fallen

Amaterasu Omikami
Namenlose
Immergleiche
Trägerin von Träumen
und alten Gesängen
wandert durch Tempel
Wälder Städte
lebt in unseren Straßen Häusern
verborgene Wurzel aller Frauen
lebt in mir
und durch mich

auf meinem Glas
verblasst
der Abdruck ihrer Lippen

war nie Kind
nie Kind mit zwei Eltern
lege mir die Hand
auf den Bauch
auf euren Bauch

kehre zurück

in den Leib
in die Nacht der Liebe
und wenn mein Vater kommt
springe ich heraus
rufe
hier bin ich – ein Mädchen
dein Herzenswunsch
an allen Verletzungen vorbei
mich ins Leben tasten
werde geboren
werde - Kind

Kerstin Leppert

lindos, rhodos

1
die paulus-bucht war einst
ein binnensee heißt es
für den apostel paulus öffnete sie sich
mein körper kennt dies geschehen
seit dir

2
die sonne geht im bade
wannenwarmen wasser schwimmen
und spielt mit gästen aus europa ball
vor der theaterkulisse
der akropolis haben sie sich
den alten vergnügen verschrieben

pighi sariza

am hang unserer erinnerung
weide ich meine hände
die dich spürten
lange bevor die abendfähre anlegte
und grundlos ein blick
von der reling
ins meer sank
zu transparenten brassen und
verworfenen schlüsseln
tagelang verwirrten uns blaue winde
lügen und süßhunger
widerstandslose schritte
haben den marmorboden geprägt
jetzt noch einmal im relief
mit dir tanzen
während gardinen flüstern
und eine äonen weit
entfernte nacht
urteil fällt
aber das wasser
rein und kühl sprudelt
wie lachen aus
dem felsen bis du
mich küsst
im spiel des
argentinischen tangos

budapest, ungarn

die grammatik dieser sprache
ist ganz anders als unsere
sagt der ungarische autor
der konsonanten verschlingt
wie kanapees oder fagyhaltlaps
von der eiskarte im café
selbst zigaretten warnen volksliedhaft
ös üs und zaks in konsonanten
und straßenschildern eingebettet
geh mit mir die utca
zu ter oder tek oder központ
dort rollen die silben
von den lippen in die metro
rattern zu eiffels bahnhof
der turm verstand und ihn
anderswo baute

siena, italien

auf dem rücken der toskana
wächst baumpelz
den ich mit fingern
und augen kämme
von meinem luftplatz aus
wispert wind in fremden zungen
von alten zeiten
lauter sprechen steine
sie tragen schwer
an den stimmen der toten
die ausgesät sind
in pinienwälder und
sich klammern an den nacken
des grünen bären

hier möchte ich wind sein
und zwischen pinienblättern wohnen
schweigend
dem lärm der autobahnen entkommen
und der gier meines herzens
über milde hügel und wälder streichen
mich in wolken und täler ergießen
um den wein zu nähren
der in deinem glas schimmert
und dich trunken macht

dresdenmai

blicke in das leben
eines anderen werfen
der mit geschichten handelt
und einen zweitägigen moment lang
mit seinen sätzen
in den händen
eine stadt fassen
die aus trümmern aufsteht

sich treiben lassen
durch baustellen und
straßenschluchten an prunk
schwellenden bauwerken vorbei
mit einem begleiter
in dessen augen ich
mich neu zusammensetze

zusammen ein spiel
erfinden das auch buch
staben nähe puzzelt
und wörtern das fliegen beibringt

portinatx, ibiza

unter der pinie in portinatx
zeit fließen lassen
zum sound von grillen
wellen und stimmen
auf dem felsen liegen
den die sandschicht polstert

während andere eilig
dem geschäft des sommers nachgehen
zählen wir die früchte des schattens

wüstenpost

sich in die weite atmen
im takt mit den palmen
die ihre schatten auswerfen
lassos der unrast
ich lenke meine schritte
fort von dir
von jedem du
das sich hinter haltenden händen verbirgt
hänge meine sehnsucht
in den wind in den sandsturm
dem himmelblau um den hals

hamburg wismar

mit worten messen wir
die krümmung des raumes
zwischen uns
den unsere körper
nicht mehr brauchen

meter für meter
rauche ich mich zu dir
bis ich deine lungen fülle
mit meinem atem

du bist grüner wein
im glas aus schaum
mein mund an deinem ohr
verspricht dir träge küsse
die ich durch tage trage
zur stimmlosen nacht

rügensommer

dort wo das meer das land berührt
legen wir unsere körper
in den sand
lauschen der wasserstimme
die anschwillt und abebbt
ihren flüsternden melodien
die uns in sicherheit wiegen

hinter dunklen brillen
lausche ich brandenden sätzen
die erst verstummen
wenn der abend sich senkt

auf den strand und das meer
das nicht aufhört zu sprechen
in tausend flüssigen zungen
ein murmelnder wirbel
von gesagtem
und unaussprechlichem

bridge hotel, amsterdam

vor dem fenster wohnt der fluss
ein boot schaukelt sich in den schlaf
und herbstlicht tanzt uns voraus
über schmale häuser
entlang der grachten
die wir hand in hand erkunden

500 kilometer weit weg
ist alles wieder da und
die liebe ganz einfach

unsere worte fügen sich
ineinander wie bausteine
wir errichten ein luftschloss
trinken wein aus wolkengläsern
essen in kokosmantel
gebackene okras

alle sieben himmel öffnen sich
nach dem joint aus dem coffeeshop
unsere körper schaffen sich
füreinander neu
wie liebe zum ersten mal
doch als hätt ich geübt
zwanzig jahre lang

Renate Meckel

unter abgeblühtem Himmel
wächst mir
eine Brücke aus dem Fluß

eine Schwalbe
fängt mich ein
in ihren Flug

noch ruhen wir
auf der Schulter des Heiligen
aus Stein

ich setze
einen Fuß
in meinen Traum
kratze
in krustige Wand
eine Tür
über die Schwelle
tritt
Leere

einen Tag
durch die Schlucht der
Angst
getrommelt
schon kreißt
das Asternlicht
in der Dunkelkluft
lehnt
mein Engel
komm
legen wir die Schatten
in ihr Grab
Zeit
und das Heute
das Heute
wälze sich darüber

unterwegs
weil die Nacht
den Abschied
herausklopft
bis an mein Herz

unterwegs
in geschnürten Schuhn
auf dem Herzen
ein Adé und
den Spitzenkragen

gestanzt
geschabt
geschliffen
schlägt
umherziehende
Stunde
um Stunde
Stücke
aus mir
zerschneidet
durchbeteten Raum

bin ich
Wolke
manchmal
rotgewandete Hirtin
und ziehe vorüber
manchmal
vor dem Himmel langer Jahre
zartgegürteter weißer Schwan
manchmal
in Schwärmen schwarzer Drachen
blaulichtiger Wal

abgesunken
der Horizont
zu den Dunkelwiesen
auf denen sich die alte weiße Wiege
biegt und auf mich wartet

ein Tier aus dunklem Grau
krault schon
meinen Nacken

die Bänder die ich einst
um die Fesseln mir schnürte
duften nach Weihrauch und Gewürz

brüchig
ist ihr Leder geworden
auf meiner Reise

das Fleisch des geschächteten Lammes
und der geschnitzte Leib über dem Altar
würgen in mir

still
der Anfang
in deinen schneeweichen Händen
unter deinem geschlossenen Mund
erwachend
der Himmel
von Vögeln leer
blaß die Hortensie

treibe
ich Rose
durch mein Meer
bis ich
weiß werde
von seinem Salz

Micha Mikolai

Wortlos
ersteige ich
die schweigenden Berge
der Gedanken.

Sturmhaft
erreicht mich
traumloses Erkennen.

Nebelschwer
umfängt mich Vergessen -
lässt mich straucheln.

Zornig
widerstrebend
trotze ich dem Wind.

Wanderer,
Kreuze meinen Weg,
lass mich
deine Abendstille sein,
deine aufgehende
Morgenröte

Beende deine Reise,
komm
ruhe in meinem Arm,
lass mich
deine Mondnacht sein,
deine rote Sonne

Komm nach Hause,
halte inne
und lausche,
lass mich
dein Nachtwind sein,
dein sternloser
Himmel

Beug dich nieder
am staubigen Grasrand,
lass mich
deine Quelle sein,
ich versiege nie

Wie soll ich mich hinwenden
zu deinen Ufern -
dich zu suchen ...

Wie soll ich deine Täler
deine Höhen erreichen -
dir zu begegnen.

Welcher Wind muss mich treiben
wie lange noch -
dich zu begreifen.

- - - (?)

In welchen Schatten
soll ich mich verbergen -
dich zu erkennen.

Welches Ende hat diese Weg
aus Steinen -
hin zu dir.

Wohin soll ich mich neigen
den Frieden deiner Hand
zu finden.

- - -

Ich ging und ging
und sah nur manchmal
zurück -
stets voll Staunen.

Ich suchte und fand
doch nie wirklich -
nur Augenblicke.

- - - (?)

Trudi Pätz

Totenkult auf Bali und Sulawesi

Meine abenteuerlichen Reisen durch Thailand, Malaysia, Singapur, sowie durch Indien, Nepal und Indonesien waren für mich unvergessliche Erlebnisse. Am meisten faszinierte mich der ungewöhnliche Totenkult auf Bali und der Insel Sulawesi.

Als mich mit 75 Jahren wieder einmal das Fernweh packte, flog ich kurz entschlossen nach Medan auf Sumatra. Mit einer bunt zusammen gewürfelten Reisegruppe zwängte ich mich in einen engen und schmuddeligen Bus ohne Klimaanlage. Mich interessierten nicht so sehr die hoch aufragenden Gebirgszüge mit tätigen Vulkanen, auch nicht die dampfenden Schwefelquellen und kunstvoll angelegten Reisterrassen und Teeplantagen. Ich wollte schnellstens durch Sumatra und Java nach Bali und Sulawesi, um den Totenkult auf diesen beiden Inseln einmal zu erleben.

In Jakarta auf Java wechselte ich in einen geräumigeren Bus, der mich schneller an mein Ziel bringen sollte. Der Bus fuhr an der Fährstation Benjuwangi auf die Fähre und setzte nach Bali über. Nach einer langen Tagesfahrt durch landschaftlich schöne Gegenden näherten wir uns dem Ort Sanur, wo mich das Radisson-Hotel für acht Nächte beherbergen sollte. Sanur liegt zehn

Kilometer südöstlich von der 300.000 Einwohner zählenden Hauptstadt Denpasar an einer kleinen Lagune. Einst war Sanur ein Fischerdorf und berühmt wegen seiner Dämonen und Magie. Inzwischen hat es sich zu einem bekannten Luxusbad entwickelt. Mit seinen Tempeln, den bunten Märkten, Scherenschnitt-Spielen, Gamelan-Musik und Kunsthandwerkern zählt Bali zu einem der faszinierendsten Flecken der Erde. Eindrucksvoll war für mich der religiöse Barong, ein Trancetanz. Er versinnbildlicht den ewigen Kampf zwischen Gut und Böse. Mein Hauptziel war jedoch der Totenkult auf Bali. Es dauerte einige Tage bis zur nächsten Verbrennungs-Zeremonie. Bis dahin unternahm ich mit anderen Hotelgästen eine Expedition in das Landesinnere. Ich genoss den weiten Blick auf den tief liegenden Vulkansee Lake Batur und blickte ehrfurchtsvoll auf den sich im Hintergrund majestätisch erhebenden, rauchenden, schwarzen Kegel des tätigen Mount Batur und auf den 3.140 Meter hohen Gunung Agung. Gemeinsam stiegen wir über abgestufte, breite Granitterrassen zu dem größten Heiligtum Balis, dem sechzig Tempel umfassenden Komplex Besakih. Tausende von Pilgern treffen sich hier an Festtagen und bringen den Göttern Opfergaben. Die Indonesier verehren diesen heiligen Ort als würdige Wohnstätte der Götter.

Dann war es endlich so weit. Für zehn US-Dollar konnte ich an einer Masseneinäscherung teilnehmen. Mit einem Kleinbus fuhren wir zu den Häusern der Trauerfamilien. In Indonesien glaubt die Bevölkerung noch heute, dass die letzte Reise ins Land der Ahnen erst angetreten werden kann, nachdem ein angemessenes Begräbnis stattgefunden hat. Wenn ein Balinese stirbt und die Hinterbliebenen noch nicht in der Lage sind, eine würdige Beerdigung zu bezahlen, gilt der Tote als krank. Er wird so lange in einem Raum seines Hauses oder in einem Totenhaus in Leichentüchern gehüllt aufbewahrt, bis die finanzielle Seite geregelt ist. Einige als krank Geltende werden auch vorübergehend in die Erde des Friedhofes gelegt. Man gräbt sie aus, sobald die Mittel für eine angemessene Bestattung reichen. Meistens dauert es viele Jahre, bis eine ganze Sippe die Gelder für eine Einäscherung zusammengespart hat.

Für die Hindus auf Bali ist der menschliche Körper auf Erden nur eine Hülle, in der die Seele wie in einer Wohnung wohnt. Wenn der Körper stirbt, unternehmen die Hinterbliebenen alles, um die Seele aus dem körperlichen Käfig zu befreien. Sie benetzen ihren Toten mit heiligem Wasser, bringen Opfergaben und beten, damit die Seele schneller und sicherer ins Jenseits gelangen kann. Nach hinduistischem Glauben wird die Seele des

Verstorbenen zur Reinkarnation frei und nach einem tugendhaften Leben in einer höheren Kaste wiedergeboren.

Als wir im Trauergebiet eintrafen, wurden viele, die in den letzten Jahren verstorben waren, für die Verbrennungs-Feierlichkeiten vorbereitet. Vor den Trauerhäusern versammelten sich die Familienmitglieder. Die meisten Frauen trugen schwarze oder dunkelblaue Spitzenblusen und lange dunkle Röcke. Auch die Männer waren dunkel gekleidet. Auf Tischen lagen ausgebreitet heilige Opfergaben. Händlerinnen in farbenfrohen Gewändern huschten wie bunte Tupfer zwischen den Trauernden hin und her. Sie balancierten bunte Stoffe auf ihren Köpfen und priesen den Touristen lautstark ihre hübschen seidenen Sarongs an, Tücher, die kunstvoll um den Körper drapiert werden. Ein einheimischer Reiseführer begleitete uns zu mehreren Trauerhäusern. Er zeigte und erklärte uns die verschiedenen festlich geschmückten Gestelle, in welche die Gebeine der für die Verbrennung vorgesehenen Verstorbenen hineingelegt werden sollten. Aus einem sänfteähnlichen Unterwagen ragte ein hoher geschnörkelter gelber Turm. Um ihn herum flatterten lange gelbe und rote Seidentücher. An der Spitze prangte eine große Fotografie des Toten. Dieser wurde von jungen Männern aus dem Haus getragen und in die Sänfte gelegt. Auf einem weiteren Gestell war ein riesiger Stier montiert. Ein Elefant, auch bunt verziert und wuchtig, nahm gerade einen anderen in weiße Tücher eingehüllten Leichnam auf.

Für die Balinesen ist die Totenverbrennung ein fröhliches Volksfest. Ich schloss mich dem Elefanten-Trauerzug an, der sich unter Trommelwirbel und lauter Musik langsam in Richtung Friedhof in Bewegung setzte. Vierzig bis fünfzig junge Männer in schwarzen, langen Röcken und mit kleinen, schwarzen Käppis tanzten lachend und singend um das lustig wirkende Fabeltier. Schwungvoll warfen mehrere Männer das schwere unförmige Bambusgestell mit den Gebeinen des Toten in die Luft und fingen es geschickt wieder auf. Dann drehten sie sich gewandt im Kreis und schwangen die Last sicher über ihre Köpfe. Andere nahmen die bereitliegenden Wasserschläuche und spritzen übermütig in die Menschengruppen. Auch wir Touristen, die wir uns unter die heitere Trauergemeinde gemischt hatten, erhielten eine erfrischende Dusche. Dieses Volksfest war für mich ein willkommener Spaß. Unter Lachen und Scherzen, mit Musik und Gesang, kam der fröhliche Trauerzug am Friedhof an. Einige Familien, die ihre Verstorbenen inzwischen aus den provisorischen Gräbern ausgegraben hatten, waren schon dabei, für ihre Toten die Scheiterhaufen zu richten und die Gebeine auf die Bahren für die Verbrennung zu legen. Die leeren Gräber wurden nicht zugeschüttet. Vorsichtig ging ich über das unebene Friedhofsfeld mit den vielen offenen Grablöchern.

Vor dem Friedhofseingang hoben die jungen Männer die Gebeine ihrer Verstorbenen aus den geschmückten Wagen. Behutsam betteten sie die Toten auf handliche Tragbahren und trugen sie an die vorbereiteten Verbrennungsplätze. Männer stapelten ringsherum die Scheiterhaufen aus Holz auf. Frauen umsorgten die Toten mit Opfergaben, die sie auf ihren Köpfen getragen hatten. Liebevoll wurden Hähnchen- und Entenkeulen, Obst, Blumen und Korbwaren um die Verstorbenen drapiert. Geschirr, das die Verstorbenen zu Lebzeiten benutzt hatten, wurde zerschlagen. Es durfte nie wieder von anderen Menschen verwendet werden.

Nachdem alle Angehörigen ihre Toten aufgebahrt und geschmückt hatten, wurden sämtliche Scheiterhaufen gleichzeitig angezündet. Leckend züngelte sich das Feuer an den morschen Holzscheiten empor. Dann erhob sich brausend ein heißer Sturmwind. Sekundenschnell umhüllten bedrohlich flackernde Flammen die Totenbahren und fauchten gen Himmel. Einige Leichen bogen sich durch die Hitze gespenstisch aus den prasselnden Flammen in die Höhe und sackten Funken sprühend zurück in das Flammenmeer. Dunkle und weiße Rauchschwaden verbreiteten üblen Geruch über den ganzen Platz. Schaurig war der Anblick des Totenackers, als die letzte Asche verglüht war. Nachdenklich, still, ohne lärmende Musik, verstreute sich die Menge.

Nach neun Tagen auf Bali und einem Rundflug über diese Sonneninsel landete ich mit einigen Touristen in Ujung Pandang auf Sulawesi. Ujung Pandang ist eine moderne lebenssprühende Stadt mit 1.200 000 Einwohnern. Ich war froh, als mich der bereitstehende Bus am Flugplatz aufnahm und ich der feuchten Hitze entfliehen konnte. Auf einer guten aber verkehrsreichen Straße ging die Fahrt durch flaches Reisland. Malerische Pfahlbauten säumten die Straßenseite zum Meer. Wegen der vielen Überschwemmungen standen die Häuser auf hohen Bambusstelzen. Sulawesi liegt am Äquator. Die Insel setzt sich aus vier Halbinseln zusammen. In ihrer Gestalt gleicht sie einer Orchidee.

In abenteuerlicher Fahrt ging es in das Gebirgsland nach Rantepao, in das Land der Toraja. Eingekerbte Flusstäler, rauschende Wasserfälle, wild zerklüftete Berghänge und steile Vulkankegel wechselten   mit immergrünen Regenwäldern, Reisfeldern und Kokospalmen-Plantagen. Als an einem Fluss eine Pause eingelegt wurde, genoss ich die kühle Brise, die auf der Brücke vom Wasser herüberwehte und mich leichter atmen ließ.

Auf der serpentinenreichen Straße verlangsamte sich die Fahrt durch das steiler werdende Hochgebirge. Mein Blick schweifte in tiefes, Schwindel erregendes Tal, durch das Nebelschwaden zogen und zu dem schemenhaft aus dem Dunst aufsteigenden, spitzen Bergriesen im Hintergrund. Was für eine sagenumwobene dämonen- und geisterhafte Landschaft!

Viele Stunden lang tuckerte der Bus vorwärts, bis wir in der Dämmerung das Hotel Toraja Cottage in Rantepao erreichten. Es war im Stil der typischen Toraja-Häuser erbaut. In der kleinen Halle spielten Musiker zur Begrüßung einheimische Rhythmen auf dem Xylophon.

Am nächsten Tag begann unsere Expedition durch die Berge. Wir besichtigten mehrere im alten Baustil erhaltene Dörfer. In ihrer Abgeschiedenheit haben sich die Bewohner die uralten Bräuche ihrer Ahnen bewahrt. Sie bauen Reis und Gemüse sowie Kaffee und Gewürznelken an. In jedem Dorf wohnen mehrere Großfamilien. Ihre Wohnhäuser sind ringförmig um einen leeren Platz angeordnet. Auf der gegenüberliegenden Seite befinden sich die Getreidespeicher. Kunstvoll wölben sich die Dächer der Häuser und Speicher zu den Giebelseiten nach oben wie Bug und Heck eines Schiffes. In vielen Wohnhäusern sind Tiermuster und geometrische Verzierungen eingeritzt und mit den heiligen Farben rot, gelb, weiß und schwarz bemalt. Eindrucksvoll stapeln sich Unmengen von Büffelhörnern vor den Eingängen. Sie zeigen den Reichtum der Familien an. Einige der vorstehenden Giebel zieren riesige Büffelköpfe. Die Dächer sind mit Reisstroh gedeckt. Eine ungewohnte Geräuschkulisse war für mich das Gekreische der zahllosen fliegenden Hunde, die in den entfernt stehenden Bäumen umherschwirrten, während im nahen Tümpel Wasserbüffel planschten.

Jeder Toraja wünscht sich ein großartiges Begräbnis. Die Totenfeier ist heute noch das wichtigste Ereignis in ihrem Leben. Sie glauben an die Wiedergeburt und wollen sicherstellen, dass die Seelen der Toten ins Jenseits eingehen können.

In mühevoller Arbeit werden Felsengräber für die Särge gemeißelt. Vor oder neben den Gräbern befinden sich schmale Balkone, auf denen lebensgroße bemalte und bekleidete Holzpuppen stehen. Es sind Tau-Tau, Abbilder der Toten. Wie auf Bali verschlingen diese Begräbnisse ein Vermögen. Die ganze Verwandtschaft spart oft jahrelang, um ein würdiges Begräbnis bezahlen zu können.

Wir wanderten in Lemo zu den hoch in den Felsen eingehauenen Gräbern. In viereckig gemeißelten Felslöchern, einige waren offen, andere zugemauert, sahen wir runde, aus Sandelholz gefertigte Särge, in denen die Verstorbenen ruhen. Die geschnitzten Holzfiguren dienten als Wohnorte der toten Seelen. Einfache oder reich verzierte Holzgitter stützen die Puppen. Ein aus Holz geschnitzter Tau-Tau kostete damals zirka zwölf Büffel. Leute, die es sich leisten können, bestellten sofort nach dem Sterbefall einen Tau-Tau. An Hand von Fotos wurden lebensnahe Figuren modelliert.

Wenn eine Beerdigung bezahlt werden konnte, verlief die Zeremonie laut, fröhlich, von Musik und Totentrommeln begleitet ab. Es wurden Büffel und Schweine geschlachtet. Den Gästen wurden Betelnüsse, Früchte und Palmwein angeboten. Für die letzte Reise ins Felsengrab wurden die Gebeine eines Verstorbenen in einen schweren runden Holzsarg gelegt. Auf einen Schlitten, der den Toraja-Häusern nachgebildet ist, transportierten junge Männer den Toten zum Grab. Mehrere stiegen auf langen Bambusleitern, die an die Felswände gelehnt waren, in die Höhe. Kraftvoll zogen sie den runden Sarg zu dem Felsengrab hoch und schoben ihn in das Höhlengrab. Totenfeiern spielen sich bei den Toraja ähnlich rituell und farbenfroh ab wie auf Bali. Die Toraja glauben, dass die Seelen der Verstorbenen nur ins Jenseits eingehen können, wenn die alten Totenriten eingehalten werden. Nur dann würden die Toten den Lebenden ihren Segen spenden.

Wir verbrachten viel Zeit damit, uns die unterschiedlichsten Beerdigungsstätten in der näheren und weiteren Umgebung anzusehen. Manchmal mussten hohe, felsige Steigungen überwunden werden, um an die versteckt liegenden Felsengräber heranzukommen. Ein Baumgrab hat mich ganz besonders berührt. Ich musste an die kleinen Kinder denken, die in den Bäumen eingemauert wurden. In diesem hohen Baum waren zehn Gräber. Wenn ein Kleinkind verstorben ist, schlägt der Vater eine Öffnung in den Stamm des Baumes und legt sein Kind hinein. Mit einer Platte wird das Grab verschlossen.

Wir suchten mehrere größere und kleinere Felsenhöhlen auf. Mit meiner Taschenlampe beleuchtete ich tiefer liegende Wände. Gespenstisch starrten mich augenleere, herumliegende Totenköpfe an. Alte, verwitterte Särge lagen im Hintergrund übereinander gestapelt. Beim von Felsen überhangenen Ausgang fiel Sonnenlicht in die dunkle Höhle. Reihenweise lagen auf Felsvorsprüngen und in den Nischen über- und nebeneinander Totenschädel aus der Vergangenheit der Toraja.

Auch auf Sulawesi ist es schwierig und teuer, ein standesgemäßes Begräbnis zu arrangieren. Meistens verschulden sich die Angehörigen dabei. Erst nach Monaten oder Jahren kann der Verstorbene, wie auf Bali, ein endgültiges Begräbnis bekommen.

Hildegard Schaefer

Immer Ärger mit dem Jungen

Erika lehnte am Türrahmen und hatte einen Strauß Heide in der Hand. Sofort gingen bei ihm die Alarmglocken los. Es war jetzt die Heideblüten-Zeit, aber er wusste, dass seine Frau sie nie pflückte, es sei denn... Wahrscheinlich war ihr gar nicht bewusst, dass immer dann, wenn sie etwas emotional aufwühlte, sie gegen ihre selbst aufgestellten Regeln verstieß. Und Heide nicht zu pflücken war eine dieser Regeln. „Du bist wach?" Sie trat ins Krankenzimmer und begrüßte ihn mit einem Kuss. „Ich wollte dich nicht wecken, du sahst aus wie ein kleiner Junge. Norbert hat auch so ausgesehen." „Lass den Jungen aus dem Spiel, ich will von ihm nichts mehr hören. Wer seinen alten Vater so im Stich lässt...". Er gab ihm die Schuld am Zusammenbruch seiner Firma, denn wenn er nicht nach Heidelberg gegangen wäre um dort in der die Tischlerei seines Schwiegervaters zu arbeiten, wäre seine eigene Tischlerei vielleicht noch zu retten gewesen. Zumindest wäre sie dann vielleicht aus den roten Zahlen heraus gekommen. Tag und Nacht hatte er geschuftet um gegen den drohenden Konkurs an zu arbeiten doch sein Herr Sohn ließ ihn einfach im Stich. Er hatte eines Nachts einen Herzinfarkt in der Werkstatt bekommen, und wenn Erika nicht noch zufällig nach ihm geschaut hätte um ihn ins Bett zu holen, wäre es aus gewesen mit ihm. Und Norbert hatte nichts Besseres zu tun, als die Firma zu verkaufen, als er in der Reha war. Zugegeben, er hatte noch einen guten Preis ausgehandelt, so dass Erika und er in Ruhe leben konnten, aber die Firma war doch sein Leben gewesen. Wie gerne hätte er es gesehen, wenn sein Sohn sein Werk fortsetzte. Er hätte ihm als alter Meister noch raten und helfen können, hätte seinen Enkeln auch noch alles beibringen können. Und diesen Traum hatte ihm sein Sohn zerstört.

„Norbert ist auf dem Weg zu dir. Er will sich selbst davon überzeugen, dass dein Schlaganfall nicht so ernst ist." Erika betrachtete ihn forschend. „Sag ihm, dass er bei mir nicht erwünscht ist, ich kann auf seine Anwesenheit sehr gut verzichten." „ Es ist jetzt schon 3 Jahre her, dass du ihn nicht gesehen hast, meinst du nicht, dass damit ein Ende gemacht werden sollte?" „Ich bin müde, ich hab' heute schlecht geschlafen, lass mich bitte allein", brüskierte er sie. Erika verließ das Zimmer, sie fühlte sich mutlos. Norbert war doch ihr einziges Kind und er hatte seinen Vater vor einem halben Jahr zum Großvater gemacht. Selbst das hatte das Herz des alten Mannes nicht erweichen können. Nur sie war nach Heidelberg gefahren – wie schon öfters - denn der Sohn war genauso stur wie sein Vater. Dass er jetzt den ersten Schritt machte, ließ sie hoffen.

Er ließ sich ins Bett zurückfallen und drehte nach einer Weile das Radio an. Verkehrsnachrichten, was ging ihn das an. Doch dann horchte er auf. Ein schwerer Auffahrunfall auf der A7 auf Höhe des Buchholzer Dreiecks. Wenn es Verletzte gab, sie würden in dieses Krankenhaus gebracht werden, d.h. wenn sie normal verletzt wären. Schwerstverletzte würden mit dem Hubschrauber nach Hamburg gebracht werden, dort gab es Spezialkliniken. Sie brachten Norbert damals in eine Spezialklinik für Brandverletzte. Er war noch ein Kind und lehnte sich vertrauensvoll an ihn, als das Kühlwasser des Transporters seinen Rücken verbrannte. Was machte er sich damals für Vorwürfe! Norbert steckte es lässig weg, auch die vielen Behandlungen, die er dann über sich ergehen lassen musste. Und wie unvernünftig er war! „Immer Ärger mit dem Jungen", das sagte er immer öfter. Denn sein Sohn war ein richtiger Lausbube, hatte immer Unfug im Kopf. Was so alles passieren kann. Die A7 würde er auch fahren. Aber ihm würde bestimmt nichts geschehen, er hatte schon immer einen fleißigen Schutzengel. Früher jedenfalls. Er drehte das Radio aus und begann zu grübeln, wie schon so oft.

Er musste dann doch eingeschlafen sein, denn als er die Augen aufschlug, lehnte die Krankenschwester am Türrahmen. „Schön, dass sie wach sind" Sie schaute ihn abschätzend an. „Was ist, habe ich das Nachtgebet verpasst?" „Nein, ich wollte ihnen nur sagen, dass sie Besuch bekommen haben." „Wenn es mein Sohn ist, dann schicken sie ihn weg." „Das würde ich ja gerne, aber das erlauben die Ärzte auf der Intensivstation nicht." Also doch! Er hatte es geahnt. Norbert hatte etwas zu tun mit dem Unfall auf der A7. „Ist es schlimm, was ist los mit ihm, lebt er?" „Nun beruhigen sie sich erst mal. Es geht ihm soweit ganz gut, er ist stabil. Er wird morgen operiert. Und", die Schwester beobachtete ihn aufmerksam, „ er würde sich sehr freuen, wenn sie ihn besuchen würden. Eigentlich wollte er ja sie besuchen, aber er kam in eine Massenkarambolage. Er würde sich wirklich sehr freuen", wiederholte sie. Also wusste auch sie Bescheid. Wahrscheinlich war er schon das Gesprächsthema der ganzen Station: der herzlose Vater, der seinen Sohn wegjagt, obwohl er in den letzten Zügen liegt.

„Immer Ärger mit dem Jungen", polterte es aus ihm heraus. „Sagen sie den Leuten, ich mach' mich auf den Weg. Stabil – davon muss ich mich selbst überzeugen. Man kann ja viel erzählen, wenn der Tag lang ist." Die Schwester verließ das Zimmer, ein Schmunzeln auf dem Gesicht. Er brauchte eine Weile, um sich anzukleiden. Es ging alles zu langsam, aber er wollte sich nicht helfen lassen, wollte unbedingt wieder auf die Beine kommen, so schnell wie möglich. Er lehnte sich am Türrahmen und schaute zurück ins Zimmer. Es war Zeit, aus den Träumen aufzuwachen Der Heidestrauß blickte ihn an. "Immer Ärger mit dem Jungen", flüsterte er sanft. Und dann schloss er die Tür mit einem Ruck.

Der Handwerker im Haus...

„Evelyn, wo steckst du denn? Ich steh' hier mit einem Arm voller Wäsche zum Einpacken und weiß nicht, wo der Koffer ist. Der war doch sonst immer auf dem Schrank." „Den habe ich Edeltraut geliehen, sie hatte keinen solch großen für ihren 4wöchigen Urlaub." „Musst du denn immer alles verleihen? Was geht dich Edeltraut's Urlaub an. Soll sie sich doch gefälligst selbst einen Koffer kaufen."
Evelyn runzelte die Stirn Sie hasste es , sich rechtfertigen zu müssen. „1). War bei uns kein Urlaub geplant und 2). Passt das, was du einpacken willst, doch in die Reisetasche. Und wer springt gleich, wenn die holde Schwester uns am frühen Samstag morgen aus dem Bett klingelt und nach ihrem Brüderchen ruft, weil der Heizungs- und Lüftungsbauer ist und ihre Heizung mal wieder nicht funktioniert?" „Du weißt ja nicht, was es heißt, Geschwister zu haben. Ihre Heizung ist ausgefallen und bei diesem Kälteeinbruch jetzt ist das ernst, sie braucht meine Hilfe."

„Aber sie hat es doch wohl nicht so eilig, dass wir nicht noch frühstücken können." Seine Frau stellte mit verkniffenem Gesicht die Kaffeemaschine an und deckte den Frühstückstisch „Evelyn, du kannst gerne mitkommen. Meine Schwester würde sich auch freuen, dich zu sehen, hat sie jedenfalls gesagt." „Ha, weil ich bei dir im Schlepptau bin. Will ich den Bruder, muss ich auch die Schwägerin ertragen." Thomas räumte schweigend die Reisetasche ein. "Vergiss nicht die Zahnbürste, oder steht die schon bei ihr im Badezimmer? In der letzten Zeit waren wir ja wohl dauernd bei ihr, und sie wohnt weiß Gott nicht gleich um die Ecke." Er packte den Kulturbeutel ein und seufzte entnervt. „Du musst ja nicht mitkommen wenn du keine Lust hast. Ich habe mich doch auch auf einen gemütlichen Samstag mit dir gefreut." „Das scheint mir aber nicht so, denn sonst wärst du erst morgen gefahren. Morgen bin ich nicht zu Hause, wie du weißt. Ach, ich vergaß. Natürlich bleibst du dann auch den Sonntag weg, damit sich die Fahrt lohnt. Und deine Schwester freut sich, einen Handwerker im Haus zu haben, irgendwas ist nämlich immer zu tun." Evelyn verzog zynisch ihren Mund. Sie frühstückten schweigend und Thomas verließ danach das Haus, ohne sich von ihr mit einem Kuss zu verabschieden.

Evelyn saß noch eine Weile am Tisch. War sie zu weit gegangen? Dass sie keine Geschwister hatte, dafür konnte sie nichts. Warum brachte er sie damit immer in die Defensive? Es wurde langsam kalt, das empfand sie nun, da sie zur Ruhe kam. Sie drehte die Heizkörper auf. Trotzdem wollte sie den Tag genießen, ein gutes Buch lesen und sich auf dem Sofa kuscheln. Und endlich die neu gekaufte CD anhören, sie legte sie in den CD-Spieler und stellte auf laut. Trällernd zog sie sich aus und schlüpfte unter die Dusche. Der Morgenmantel wärmte sie anschließend nicht so wie sonst, die Heizkörper waren noch kalt. Fröstelnd zog sie den Föhn aus der Schublade, sie hatte ihn lange nicht benutzt, doch heute wollte sie ihre Haare nicht an der Luft trocknen lassen. Sie stellte ihn auf volle Leistung, doch nach einigen Sekunden roch es sehr gefährlich und ...zack, gab er seinen Geist auf. Die Musik verabschiedete sich, es war kalt und sehr still.

"Gut, dann gehe ich eben ins Bett. Mit einer Wärmflasche," sprach sie laut in das Zimmer. Sie setzte Wasser auf, doch nichts geschah... Sicherung raus! Und Thomas weg! Das war ihr noch nicht passiert, dumm, dass sie ihn nie gefragt hatte, was dann zu machen ist. Mit nassen Haaren ins Bett ist auch nicht so gut. Sie setzte sich eine Mütze auf und zog sich an. „Wozu hat man eine Freundin, auf alle Fälle kann ich mich dort aufwärmen." Sie nahm den Schlüssel und trat auf die Straße. Ihr Auto stand an der Ecke etwas entfernt von ihrem Haus, sie hatte gestern keinen Parkplatz mehr unter der Lampe gegenüber bekommen. Sie startete und hörte den Anlasser kämpfen, die Batterie lag in den letzten Zügen. Wütend versuchte sie es wieder und wieder, bis die Batterie mit einem kleinen Seufzer verstummte. „Mist, heute geht aber auch alles schief!" Sie schloss die Eingangstür auf und ging zum Telefon. Wenigstens das funktionierte. „Karen, bist du schon auf" und ohne eine Antwort abzuwarten, schilderte sie ihre Malaise. „Evelyn", hörte sie Karen's Stimme beruhigend durch die Leitung. Ich bin heute auch Strohwitwe und habe schon überlegt, was ich den ganzen lieben Tag machen kann. Wie wär's, wenn wir uns einen Tag im neuen Wellness-Center gönnen? Dann sind wir durchgewärmt, es ist ja heute wirklich saukalt, vielleicht lassen wir uns noch massieren, und dann können wir endlich wieder einmal quatschen, ohne dass die Männer uns bremsen. Ich bin gleich da, überleg' dir meinen Vorschlag"

Karen klopfte vorsichtshalber an die Tür und begrüßte ihre Freundin herzlich. „Hast du denn schon den Sicherungshebel hoch gedrückt, dann sind deine Haare wenigstens trocken, ich habe meinen Föhn mitgebracht.". „Es ist mir ja wirklich peinlich, aber… wie macht man das?" Karen zog überrascht die Augenbrauen hoch, doch ohne einen Kommentar zeigte sie es ihr am Sicherungskasten. „Du sagst, die Heizkörper funktionieren nicht, hast du denn überhaupt auf Winterbetrieb umgestellt?" „Muss man das machen? Das hat sonst Thomas immer gemacht." Sie stellten die Heizung auf Winterbetrieb. „Dann ist es wenigstens heute Abend kuschelig," meinte Karen, „und nun zu deinem Auto, Überbrückungskabel raus." „Die sind hinten im Kofferraum, aber frage mich nicht, wie man damit umgeht." Karen schüttelte den Kopf und blickte ihre Freundin viel sagend an: „Ein Glück, dass mein Mann nicht 2 rechte Hände hat, dann hätte ich jetzt auch 2 linke, so wie du." Sie überbrückten und fuhren mit Evelyns Auto, damit sich die Batterie aufladen konnte.

Es wurde ein schöner Tag. Sie lagen entspannt im Kaminzimmer und schauten dem prasselnden Feuer zu. „Mein armer Mann", seufzte Evelyn, „der ist jetzt bestimmt Öl verschmiert und am Schrauben und Tun und Machen. Und ich lasse es mir hier so richtig gut gehen." Ihr Handy klingelte, „Evelyn, wo steckst du denn? Ich steh' hier mit einem Arm voller Rosen und finde keine Vase. Stell dir vor, die Heizung war gar nicht kaputt. Meine Schwester hatte nur vergessen, auf Winterbetrieb zu stellen, wie kann man nur so blöd sein. Was ist denn mit dir, mein Mäuschen, warum lachst du?"

Heidrun Schaller

Der Gesang des Lebens ...

Nicht stolpern, freiwillig über die Schwelle der
Gewohnheiten, Verrichtungen hinaus in das Rauschen der Stille des Sandes, zu den Geschöpfen
aus Stein, erstarrt vor dem Zugriff der Menschen,
nur noch nachts, heimlich, sie sich verlebendigen,
umtreiben, wispern im Wind, der sich in Kraft,
Sturm, aus allen vier Himmelsrichtungen und nun
mit Sand in alle Ritzen und Poren eindringt, über-
schreitet das Maß des Erträglichen, und doch
aushalten müssen diese Invasion des zerstäubten,
urzeitlichen, kleinstgewordenen Großen, das mir
nun um die Ohren, Nase und in den Mund - ich
mir einverleibe und ausspucke und dennoch nicht
los werde aus und an meinem Körper und in meinem Geist. Ich bin durch und durch versandet,
Ahnungen rauschen in mir, reißen mich ausge-
trocknete Flussbetten entlang, Erosion zerkleinert
alles in und an mir, was einst groß, wichtig, be-
deutsam war und spült mich ins weite trockene
Saharameer. Ohne zu denken, nur noch Gefühl,
Gefühl der Winzigkeit, Kleinheit unter allen Türen, durch in die Herzen beunruhigt ein kleiner
Sandwirbel, die ordentliche Reinheit übertönt den
Verkehr, die Geschäftigkeit und jegliche Schein-
klarheit bis hin zu dem Vollmond, der auch hier
hellt und weibliche, sehr weibliche Gefühle, Gedanken sendet in stumme, Nachrichten aufsau-
gende, arbeitsame, fühllose Hirne und wispert

vom Leben da draußen im Sand, unter dem weiten Himmel in der Hitze des Tages und der Kälte der Nacht, die aufreißen das Alltägliche, es unbrauchbar machen für das Überleben in dieser anderen, so nahen, fernen Welt. Loslassen das Körperliche, mit dem Sand fliegen zu den Dünen vom Baumeister Wind, kunstvoll zu meinen Füßen - ich Adlerin, dort oben, kreisend über ausgemergelten weißen Knochen, einst so voller Leben, Hoffnungen, Sehnsüchten, hier nur noch singen von verlorener Liebe, Träume zerstoben und Brunnen versandet, nicht mehr Quell und doch alles hier so klar und lebendig im Buch des Lebens verzeichnet, nicht mehr rückgängig - in dieser Welt nur noch ein Treffen der Gestrandeten, deren Spuren sich hier in der Wüste verlieren, bringt es an den Tag, dass ein Leben, kurz und intensiv rauschend und singend nicht zu bereuen, besser als tausende Tage Leben eingesperrt in Räumen, Pflichten, Ehrgeiz, Karriere, Mobilität und Aktienkursen, keine Liebe, kein Lachen, wozu soll es gut sein, so lange zu leben, wenn Liebe, Kraft, Freiheit und Sehnsucht nicht über alle Schwellen wallen, rauschen, wenn das Leben nicht Gesang und Leidenschaft birgt.

im einzelnen
Sandkorn
erkennen
diesen Weg
aus dem
Meer -
unter
die Weite
des Himmels
frei
mit dem Wind
sich zu türmen
zu Dünen
den kleinen
Schwestern
der Wüste
auf Sylt

ich will schreiben-
was ich
in Varanasi
sah
und fühlte
meine verwirrten Gefühle
Gedanken
schreiben
auf weißes
Papier -
schreiben
vom Gestank
vom Müll
und von tiefer Versenkung
schreiben
von der Apathie
vom Lachen
und von farbenfrohen Saris
und immer noch
habe ich
so viel
weißes sauberes
Papier …

seit Urzeiten
strömt Gangha
aus den Haaren
Shivas -
dieses Hinduland
mit all seinen Göttern
zu befruchten -
kennt oft
kein Maß
überflutet
vernichtet
nährt -
nimmt alles auf
was die Menschen
ihrem heiligen Strom
ihrer Göttin
anvertrauen
die Asche der Verstorbenen
Wünsche und Gebete
Müll und Unrat -
reinigend
dieses ewige Lebensrad
strömend
strömend
jeden Augenblick

hart
an der Wasserkante
die eigene Spur
so schnell
von den
leckenden
Wellen
erfasst
eingeebnet
als wäre ich
nie
hier
am Ufer
des Meeres
so glücklich
und eins
unter
dem hohen Himmel
geschritten

nicht nur
Frau Lot
auch das Meer
Woge um Woge
als Kalahari erstarrt
unter der sengenden
Hitze der eisigen Nacht
karge Heimstatt für
Tiere und Pflanzen
öder Widerstand
gegen
vorrückende
Zivilisation-
eine Ahnung
dass sie lebt
wenn wir
längst
gegangen sind

Südafrika

rinnende Tage
vom Sonnenaufgang
bis zu ihrem Untergang
zwölf Stunden
in Staub
Ödnis und Weite
fernab
künstlichen Lichtes
ausgesetzt
den Wettern
und Gewalten - getröstet
unter
fremden Sternen
fühle ich
Demut
und eine große
aushöhlende
Einsamkeit

Afrika

der glutheiße Wind
sucht sich
seinen Weg
leere
Fensterhöhlen
weinen
schwarze Tränen
auf ödes
ausgelaugtes
Land
sickern
in die Städte
ballen sich
in Townships
erheben
die Faust
wider
die weiße
Flut

Afrikanische Frauen

mit wunden
Fingern
nach den Träumen
greifen
nicht nur
Kinder
Hunger
Tod -
eine Welt
zum Leben
Lieben,
Lachen -
Spuren
auf dem Weg
zu eigenen
Wurzeln

ich
so fremd
in dieser
dunkelhäutigen Armut
verschließe
Ohren und Herz
vor diesem
tausendfältigen Leid

das an mir kratzt -
flüchte
in den Tempel
barfuß und beschämt
mein Haupt
zu beugen
in händeringender
Hilflosigkeit;
von der grünen Tara
Rat
zu erheischen
doch auch sie
bleibt mir stumm
und so
muss ich
ungetröstet zurück
in diese
mich umfangende
tausendäugige
Armut
mit nichts
als meinem
abwehrenden: Nein!
auf den Lippen
und wild klopfendem Herzen
vor Pein und Scham

Antje Schnabl

Auf dem **** Weg sein **** und Ankommen

Mir scheint, dieses Thema hängt an mir, es hängt mir an. Zahlreiche meiner Texte erzählen von Wegen, Unterwegssein und Ankommen. Aber natürlich – jeder Mensch ist auf dem Weg. Es ist also gar kein persönliches Thema. Nur der Weg selbst ist sehr persönlich. Zu unterschiedlichen Zeiten macht man sich unterschiedliche Gedanken über ihn. Je älter man wird, desto weniger. Sollte man meinen, denn immerhin hat man mit jedem Tag ein weiteres Stück des in der Länge begrenzten Weges zurückgelegt. Und ab einem bestimmten Alter verliert es vielleicht an Bedeutung, welchen Weg man weiter geht, wie schnell und mit wem. Es hängt nicht mehr allzu viel davon ab, denke ich zuweilen. Gleichzeitig ertappe ich mich dabei, wie ich immer öfter zurückschaue auf den hinter mir liegenden Weg. Ihn noch einmal betrachte, bewerte, hinterfrage. Vor allem: ihn oft ganz anders beschreibe, als er wohl gewesen ist. Vielleicht sieht er aber tatsächlich von rückwärts gesehen anders aus. Immer, *unentwegt* ist man also auf dem Weg, ist man unterwegs. Wir sind aktiv, unterwegs ... auf dem *Weg zum Erfolg*, zum Glück, zur Weisheit .

Das ist überhaupt die Frage aller Fragen: wir machen uns auf den Weg (ich lasse es dahingestellt, wann und wo er beginnt), und irgendwann taucht die Frage auf „Wohin will ich?".

Im Normalfall macht man sich wohl irgendwann auf den Weg, um im Leben etwas zu erreichen, um *Erfolg* zu haben. Aber gibt es den Normalfall überhaupt? Es gibt so viele Wege und Ziele, wie es Menschen gibt. Üblich ist, dass berühmte Menschen, die erfolgreich sind oder waren, von ihrem Unterwegssein und Ankommen berichten. Von denen solche wie ich wissen wollen: wie habt ihr das geschafft? Das hat mich früher *brennend* interessiert. Ich habe Biografien gelesen und vor allem das berühmte Buch über „Flow" von M. Csikszentmihalyi regelrecht studiert. Ich hatte das *Gefühl*, dass ich *verstand*, was sie erzählten. Immer wieder sagte ich mir „aha..." oder „na klar..." und war ganz sicher, dass ich es nur ebenso angehen müsste, um ebenso zum *Erfolg* zu kommen. Wunderte mich später zwar immer wieder, wieso es wieder nicht geklappt hatte. Aber niemals ging ich der Frage wirklich auf den Grund, der Frage nach dem Unterschied zwischen diesen Menschen und mir. Weshalb das so war, davon könnte in meiner persönlichen Weg-Geschichte die Rede sein. Jedoch würde das hier auf begrenzter Seitenzahl viel zu weit führen.

Gut, die Berühmten, das sind die einen. In denen etwas so stark *gebrannt* hat, dass es nur den Weg zum großen Erfolg gab. Wie schwierig er dennoch auch immer noch gewesen sein mag. Aber wir, die vielen „Kleinen", haben auch Erfolg, haben viele Erfolge, immer wieder. Und interessant ist es gerade, einmal zu sehen und zu erfahren, wie jemand, der unser Nachbar, unser Kollege sein könnte, seinen Weg geht, was er erreicht hat und wie er es bewertet. Mit zunehmendem Alter finde ich es sogar spannender von „einfachen" Menschen zu erfahren, wie sie etwas bewältigt haben, welche Fragen sie sich stellen oder welche überhaupt nicht, was ihnen wichtig ist und was nicht. Dass man dabei auch manche Überraschung erleben kann, ist eine Erfahrung aus jüngster Zeit. Ein guter Bekannter, dessen Können und Tun mir sehr am Herzen liegt, von dem ich einigermaßen zu wissen glaubte, was er kann, offenbarte erst kürzlich Fähigkeiten, von denen ich nichts ahnte. Kam das durch seine Bescheidenheit oder durch mein unbegründetes Urteil, das ich mir bereits gebildet hatte? Ich glaube, wir reden viel zu wenig über Persönliches miteinander. Erst aus einem Buch erfuhr ich von ihm, was ich gern schon früher gewusst hätte. Einmal mehr machte es mich traurig, dass wir viel zu selten und wenig miteinander reden. Aber gut, dass wir wenigstens voneinander lesen können. Obwohl, schmunzeln muss ich im Moment schon. Es fühlt sich alt an, über eine zurück liegende Wegstrecke zu schreiben. Aber nun bin ich ja immerhin schon fünfzig, da darf man so eine kleine autobiografische Abhandlung veröffentlichen. Die halbe Wegstrecke ist immerhin zurückgelegt. Keine

Angst, ich erzähle jetzt nicht mein Leben. Ich picke nur den einen Aspekt heraus: „Unterwegs sein zum *Erfolg*". Gehört auch das „Ankommen" dazu? Lange Zeit hielt ich das für das Wichtigste überhaupt. Warum sollte man sich auf einen Weg machen, wenn nicht, um irgendwo (natürlich nicht irgendwo, sondern genau am geplanten Ziel zur geplanten Zeit) anzukommen? Mit dem Spruch, der Weg sei das Ziel, konnte ich lange nichts anfangen.

Weiter, weiter, immer weiter

Ein Weg, der sich nicht in Kilometern misst, sondern in Jahren. Unbestimmt sind Länge und Verlauf. Unbestimmt? Mein chinesischer Meister sagte kürzlich, dass siebzig Prozent unseres Lebens vorbestimmt seien, drei Prozent seien Schicksal und die übrigen siebenundzwanzig Prozent sind Chancen und Gelegenheiten, die sich in unserem Leben auftun. Das ist der spannende Teil, den wir gestalten und für uns nutzen können. Das ist der Weg, den wir selbst wählen und bestimmen können. Jetzt, wo ich fünfzig bin, erfahre ich das. Vielleicht hätte ich früher darüber gelacht. Inzwischen habe ich es fast selbst gewusst, nachdem ich in den letzten Jahren viel über chinesische, buddhistische und daoistische Weisheit und Philosophie gelernt habe. Nun hat der Meister es ausgesprochen und kein Zweifel an seinen Worten ist in mir.

Ich wusste schon sehr früh, dass Schreiben mein Ding ist, wie man so sagt. Wahrscheinlich war es mir in die Wiege gelegt, denn schon in der ersten Klasse schrieb ich lange Briefe von einer Kinderkur aus nach Hause. Ich schrieb schon als kleines Kind Gedichte für meine Großeltern zum Geburtstag, schrieb Wandzeitungsartikel, schrieb Reportagen für unsere Kreiszeitung, später gab es eine Schülerzeitung und natürlich war ich dabei. Am liebsten also hätte ich Journalistik studiert. Warum habe ich es nicht getan? Weil ich in der DDR lebte, wo man sich nach dem Studium seinen Arbeitsplatz nicht aussuchen konnte. Und als Journalistin hätte ich auch beim Rundfunk oder gar beim Fernsehen landen können. Das wollte ich auf keinen Fall riskieren. Mein Gebiet war das Schreiben, ganz für mich allein am Schreibtisch, nicht der öffentliche Auftritt. Zum ersten mal also wurde eine züngelnde Flamme erstickt. Mit dem wachen Verstand.

Ich studierte Wirtschaftsrecht, bekam anschließend eine der begehrten Arbeitsstellen in der Hauptstadt Berlin. Bereits nach kurzer Zeit war ich eine *erfolgreiche* Justitiarin, und das mit Anfang zwanzig. So hätte ich wahrscheinlich bis zum Ende der DDR weiterleben können. Da das

Ende aber zunächst nicht vorauszusehen war, sagte ich mir: so kannst du ja nun nicht bis zur Rente leben, du musst noch mal etwas anderes machen. Ich wurde juristische Mitarbeiterin in einem Außenhandelsbetrieb. Verband damit die Hoffnung, auch ins kapitalistische Ausland reisen zu können. Es zeigte sich schnell, dass ich nie ein so genannter Reisekader werden würde. Warum also Zeit verlieren, ich wechselte in meinen alten Betrieb zurück. Da bekam ich wieder eine Stelle als Justitiarin, jetzt eigenständig in einem der neun Berliner Stadtbezirke. Die Stelle war mit einer so hohen Verantwortung verbunden, der gerecht zu werden ich mir selbst kaum zutraute. Erneut hatte ich beruflich alles erreicht, was man in meiner Position mit nicht einmal dreißig Jahren nur erreichen konnte. Noch einmal zur Erinnerung: wir sind in der DDR Anfang bis Mitte der achtziger Jahre. Neben meinem Beruf vertrat ich jetzt auch Arbeitnehmer in Arbeitsrechtsprozessen vor Gericht, eine Funktion, die ich als Gewerkschaftsmitglied wahrnahm. Ich war eine *erfolgreiche* junge Frau, eine Zeitlang als solche auch ganz zufrieden. Bis die wirtschaftliche und politische Entwicklung so unübersehbar ins Chaos liefen, dass ich nach einem Ausstieg suchen musste, um nicht mitgerissen zu werden. Die Überlegungen richteten sich zunächst noch auf Veränderungen innerhalb der DDR. Ich suchte nach einem Weg in die Selbständigkeit. Wollte von Partei und Gewerkschaft innerhalb eines Betriebes unabhängig sein und deren Lügengeschichten und unerträgliche falsche Entscheidungen in meinem Arbeitsbereich nicht mehr mittragen. Stellte Anträge, erhielt Vorladungen und Absagen, fasste die absurdesten Geschäftsideen ins Auge, nur um Unabhängigkeit zu erlangen. Es gelang mir nicht. Und doch geschah ein Wunder – wie übrigens öfter in meinem Leben – eine meiner Geschäftsideen erwies sich kurz vor der Wende auch für die Verantwortlichen im Berliner Rathaus als interessant: eine Partnervermittlung. Nicht ich durfte mich damit selbständig machen, sondern die Stadt Berlin gründete 1988 die erste Partnervermittlung der DDR. Und ich durfte immerhin dabei sein, sie aufzubauen, zu eröffnen und zu betreiben. Es wäre eine Geschichte für sich, zu erzählen, wie unser kleines Team von Akademikern die Sache zum Laufen brachte. Jedenfalls war es grandios und nicht vergleichbar mit dem, was es im Westen unter der Rubrik bereits gab. Wir waren acht junge Leute, die aus dem Nichts mit Hilfe der ersten Computer, die in der DDR eingesetzt wurden, am Ende glückliche (?) Paare zusammen brachten. Wieder ein *Erfolg*, ein vielschichtiger. In den hinein uns die Maueröffnung platzte. Es ist nicht schwer, sich auszumalen, welchen Stand unsere so anders geartete Partnervermittlung gegenüber den zig in Westberlin bestehenden Partnerinstituten wohl hatte. Ich kenne das letztendliche Schicksal meiner Einrichtung gar nicht. Denn die Stasizentrale lag etwa 200 Meter von unserem Geschäft in der Frankfurter Allee entfernt. Und als sie am 15. Januar 1990 gestürmt wurde, stand für mich fest, dass meine Tage in Berlin gezählt sind.

Der Entschluss, in den Westen zu gehen, war schon 1987 geboren, seitdem gewachsen. Am 4. November 1989 (die große Demonstration in Ostberlin) und mit der Maueröffnung schwankte er. Aber am 15. Januar stand fest: nichts wie weg hier. Wenige Tage danach reiste ich aus in den Westen.

War es nicht wieder ein *Erfolg*, den ich errungen hatte? Ich war im Westen, seit Jahren hatte ich es gewollt. Ich muss aber noch einmal ein Stück zurück gehen. Irgendwann nach längerer Pause hatte ich wieder angefangen zu schreiben. Erst nur so für mich. Dann aber richtige Kurzgeschichten und Erzählungen. Ich erinnere mich noch an den Titel einer Geschichte, die irgendwo in einer Schublade modert: „In die Spur gesetzt". Sie handelte davon, dass man in der DDR nicht einmal einen Fuß vor den anderen setzen musste, wenn man einmal in der Spur saß, die für einen vorbereitet war. Abitur, Studium, Arbeitstelle, Karriere, Familie nebenbei. Das lief alles automatisch.

Es gab die berühmten Zirkel schreibender Arbeiter, in so einem war auch ich Mitglied. Wir trafen uns jeden Donnerstag Unter den Linden, etwa 500 Meter vom Brandenburger Tor entfernt. So auch am 9. November. Gegen 21.00 Uhr fuhr ich mit dem Bus nach Hause. Und bemerkte – nichts. Zu Hause machte ich keinen Fernseher mehr an, war einfach zu müde. So verschlief ich die Maueröffnung. Was aber spannender auf meinem Weg war: jetzt hatte eine Phase begonnen, in der sich Kontakte zu Schriftstellern entwickelten, die fruchtbar wurden. Wir diskutierten nicht nur endlos, sondern schrieben und kritisierten gemeinsam Texte und schufen Foren, in denen wir lesen konnten. Mein Drang nach Selbständigkeit richtete sich damals natürlich vor allem auch auf die Schriftstellerei, in der DDR durchaus nicht ausgeschlossen. Zwischen Autoren und Verlagen gab es eine Zusammenarbeit, wie sie heute unvorstellbar ist. Als ich dann im Westen angekommen war, dachte ich erst einmal viel Zeit zu haben, das neue Leben kennen zu lernen und eben die Schriftstellerei voran zu treiben. Dies vor allem nach einem schönen *Erfolg,* den ich hier noch erwähnen muss: In der Euphorie nach der Maueröffnung wurden wir Ostberliner Autoren ins Westberliner Literaturhaus zur Lesung eingeladen. Der Saal war voll, anschließend gab es noch interessante Gespräche, eine Dame wollte unbedingt, dass ich zu ihr zu einer Privatlesung komme. Vor allem aber, zum ersten Mal gab es ein nennenswertes Honorar: einhundert Westmark! Unser Zirkelleiter erhielt es für alle, die Auszahlung sollte beim nächsten Treffen erfolgen. Da ich nicht dabei sein konnte, bat ich einen in meiner Nähe wohnenden Kollegen, mir das Geld mitzubringen. Und – dieser Kollege verschwand vom Erdboden, ihn und mein erstes Westgeld sah ich nie wieder.

Ging meine *Erfolgsgeschichte* trotzdem weiter? Nach meiner Übersiedlung in den Westen bekam ich fast sofort Arbeit. Ich gab der Verlockung, *erst einmal* Geld zu verdienen auch nach, obwohl ich mich gern in Ruhe umgeschaut und orientiert hätte in dieser mir fremden Welt. Später stand ich noch einmal vor der Frage, einen Job anzunehmen, der halbwegs zu meiner Ausbildung passte und gutes, vor allem sicheres Geld bedeutete, oder den Versuch zu wagen, mich als Autorin durchzuschlagen. Ich entschied mich für den Job, den ich heute noch habe. Dem ich das Geld für viele große Reisen verdanke, auch für kostspielige Unternehmungen zur Verbesserung meiner Gesundheit und nicht zuletzt für meine nun zum Hobby geratene Schreiberei. Immerhin habe ich neben dem Job ein Studium zum kreativen Schreiben absolviert, habe inzwischen drei Bücher veröffentlicht und zahlreiche Texte. Viele wunderbare Erfahrungen und Begegnungen im Rahmen von Autorentreffen, Lesungen und Seminaren möchte ich nicht missen.

Hört sich doch alles ein bisschen *erfolgreich* an. Und doch bin ich nie da *angekommen*, wo ich einmal hin wollte. Auf dem Weg bis zu meinem dritten Buch, der identisch ist mit dem Weg bis zu meinem fünfzigsten Geburtstag gab es immer wieder auch Etappen, in denen ich *weg war*. Örtlich weg, um im Alleinsein Weg und Ziel zu hinterfragen, zu klären. Aber auch weg von meinem Ziel, meinem Wunsch nach Erfolg. Aus unterschiedlichen Gründen, unterschiedlich lange und in unterschiedlicher Art und Weise. Das wären alles kleine extra Lebensgeschichten.

Und nun stehe ich kurz hinter der Mitte meines Weges – so sage ich es immer, obwohl ich ja keine Ahnung habe, wie lang er noch ist – und mag mich um *Erfolg* nicht mehr kümmern. Bekomme jedes Mal ein mulmiges Gefühl, wenn ich Mitmenschen erlebe, die kraftvoll und zielstrebig auf ihrem Weg voranschreiten, um zu erreichen, was sie sich vorgenommen haben. Natürlich ist das wichtig, wir können uns nicht alle treiben lassen. Aber – und das ist es eben – es gibt so viele Wege wie es Menschen gibt. Auf meinem ist es ruhig zur Zeit. In mir hat sich eine Gelassenheit ausgebreitet, manchmal frage ich mich besorgt, ob es

Trägheit sein könnte. Aber die vielfältigen Interessen, die nur zurückstehen, weil ich meine Kräfte mehr und mehr brauche, um den Anforderungen im Job noch gerecht zu werden, zeigen mir, dass der Weg jetzt einfach langsamer, anders eben verläuft. Jetzt wird der tägliche Weg zum Spannenden, nicht mehr der geplante, vor mir liegende. Eine kleine Ahnung ist in mir aufgestiegen, dass der Weg das Ziel sein könnte. *Erfolg* sieht immer noch golden aus, wenn ich das Wort denke, lese oder schreibe. Aber er ist nicht mehr wichtig. Doch selbst diese Aussage stimmt so nicht. Gerade freue ich mich über den Erfolg, in kürzester Zeit die Auflage meines China-Buches verkauft zu haben. Und über Reaktionen von Lesern, die mir sagen: du hast uns da was Gutes getan mit dem Buch. Gleichzeitig möchte ich die seit langem bestehende Vorstellung über ein Leseprogramm zum Thema China und Asien verwirklichen und natürlich möchte ich, dass dieses Programm dann *erfolgreich* sein wird. Die üblichen konfusen Gedanken in mir? Auch am Ende meiner Geschichte noch und am Ende des Weges, den ich bis heute gegangen bin. Läuft man denn ewig im Kreis? Ja. Abgesehen davon, dass alles Leben ein Kreislauf ist, verläuft auch der menschliche Weg nicht gerade, nicht geradeaus. Immer und immer wieder trifft man auf die gleichen Hindernisse, die gleichen ungeklärten Fragen. Solange man den Weg so betrachtet, wie ich es in meiner kleinen Erfolgsgeschichte getan habe: von außen, aus unserer Alltagswelt heraus. Und so lange man viele Seitenwege nicht beachtet, viele Türen am Weg nicht öffnet, sondern den bequemen, sicheren Hauptpfad benutzt. Der vermeintlich am schnellsten zum Ziel führt. Jetzt, da ein Ziel und Erfolg für mich an Wichtigkeit verloren haben, da ich den Weg selbst mit mehr Aufmerksamkeit, auch Leichtigkeit, mit mehr Gelassenheit und gleichzeitig mit Spannung gehe, wird sich doch hier und da sicher etwas Neues auftun.

Der zurückgelegte war ein Weg übrigens, auf dem unendlich viel mehr geblüht, gewuchert, gestürmt hat, als ich es hier anklingen ließ. Nichts von Suchen, von Kämpfen, von Verzweiflung und Ratlosigkeit, nichts von Weggefährten, zufälligen Begegnungen, nichts von Misserfolgen und falschen Entscheidungen und nichts von Hilfen und Wundern habe ich hier erzählt. Mein Weg bis hierher hatte einige Einbahnstraßen, Sackgassen, Berge, sumpfige Pfade, Umleitungen und Kreisverkehre. Nur eines vermisste ich oft: deutliche Hinweisschilder. Diese sehen und lesen zu können, das gehört zu den 27% der Chancen und Gelegenheiten unseres Lebens. Ich lerne es, recht langsam und manchmal mühsam. Aber ab und zu erkenne ich einen Hinweis und weiß mit ihm umzugehen. Freue mich dann über so einen *Erfolg*. Wobei viel wichtiger ist, dass dies dann ein

Glücksmoment im Leben ist. Wieder ein anderer Aspekt, unter dem man seinen Weg betrachten könnte. Inzwischen weiß ich, dass es ein Ankommen irgendwo nach unserem Verständnis von Ziel erreichen und genießen nicht gibt. Der Weg geht weiter, weiter, immer weiter.

Andrea Sondermann

Schlaf
in den Zug
gewiegt

nur Träume
steigen aus
und ein

Von weither

Dürretag, Glutsonne über der Stadt.
Schwülwarme Luft in den U-Bahn-Schächten,
und einfahrende Züge bringen nur einen kurzen
Schwall von Kühle.
Stinkende Rolltreppen steigen aus der Unterwelt,
in den Tunneln keuchen die Menschen und haben
keine Zeit, wie immer.

Zwischen den Treppen kommt er mir entgegen,
im Nadelstreifenanzug, doch auf seiner Haut liegt
der Schimmer ferner Länder, von Wüste und
Speeren und Lendenschürzen, von Hitze und
Staub.
Er murmelt seltsame Worte, und ich denke an die
Regentänzer seiner Heimat, wie sie ihre uralten
Schritte bahnen und Zauberworte murmeln und
den Himmel beschwören ...

Er geht vorbei, er tanzt nicht, wie sollte er auch, im Anzug, in den U-Bahn-Schächten ...

Ich drehe mich nicht um, aber in Gedanken sehe ich ihn in der Wüste, inmitten der Speere, den Lendenschurz um die Hüften, und noch immer tanzt er nicht, er geht nur vorbei und murmelt seine seltsamen Worte.

Vielleicht ist nicht der Tanz wichtig, denke ich. Vielleicht sind es nur die Worte, auf die es ankommt.

Die Stufen zur Oberfläche sind feucht.

Ich trete ans Licht.

Es regnet.

Auf dem Grund des Bechers

Am meisten vermisste Tolliver den Beifall. Gedämpften, perlenden Beifall, der von seidenen Handschuhen rieselte. Blankgescheuerte Dielen unter seinen Füßen und in der Nase der Geruch von altem Samt und schwerem Parfum ...
Er bemerkte, dass er schon seit einer ganzen Weile schwieg. Aber das fiel offensichtlich ebenso wenig jemandem auf wie die anderen Male, als er in seiner ohnehin wirren und unkenntlichen Geschichte völlig den Faden verlor. Der spärliche Lohn, der ihm wenig später in die Hand gedrückt wurde, war der beste Beweis dafür, dass ihm niemand zugehört hatte - nicht einmal der Wirt, und der war es schließlich, der ihn bezahlte.

Tolliver schob die letzten seiner gerade erst verdienten Münzen über den Tisch und ließ sich Wein nachschenken. Die Bedienung hier zeigte deutlich, wie weit er sich inzwischen von den Bühnen der seidenen Handschuhe entfernt hatte: Das Schankmädchen war ein mageres, barfüßiges Ding mit wildem Haar wie ein Waldkobold.
Trübsinnig betrachtete er den viel zu schnell sinkenden roten Pegel in seinem Becher. Er konnte schon beinahe wieder den Boden sehen.
„Glaubst du etwa, du findest sie dort wieder?" fragte der Waldkobold mit spöttischer Stimme.

Tolliver hob langsam den Blick. „Wie war das?"
erkundigte er sich mit schwerer Zunge.

„Auf dem Grund des Bechers. Unter Wein begra-
ben. Deine Geschichten." Blitzende Augen hatte
das magere, barfüßige Ding. Und einen entschieden zu frechen Blick.

Er erinnerte sich, vor langer Zeit eine Geschichte
erzählt zu haben über die Fuchsfrau, die vielerlei
Gestalten annimmt und die Menschen zuweilen in
die Irre führt. Zuweilen kommt sie ihnen auch zur
Hilfe.

Eine gute Geschichte.

Er hatte viel Beifall dafür bekommen. Lächelnde
Gesichter und Rosen, die man ihm zu Füßen
warf, Perlen und Goldmünzen. Am Anfang. Vor
Ewigkeiten.

Dann war sie ihm verloren gegangen wie alle
anderen Geschichten auch. Hatte sich auf leisen
Sohlen aus seiner Erinnerung geschlichen und ihn
ausgelacht, wenn er auf der Bühne vergeblich
nach Worten suchte, während die Hallen und Säle
immer kleiner und kälter wurden und niemand
ihm länger zuhörte.

Dass die Fuchsfrau ihm ausgerechnet jetzt wieder
einfiel ... wohl einer ihrer grausamen Streiche.

Missbilligend schüttelte sie den Kopf.

„Da solltest du mich aber besser kennen, Augustin Tolliver."

Er blinzelte. Wohin war der Waldkobold verschwunden? Saß da eine rothaarige Frau an sei-

nem Tisch und stützte ihren Kopf auf seidene Handschuhe?

„Wenn du's wirklich bist", murmelte er, „dann schlag mir einen Handel vor."

Sie lachte, gedämpft, perlend. „Was denn? Geschichten gegen deine Seele?"

Er trank den restlichen Wein in einem Zug. „Warum nicht?"

Ihr blitzender Blick wurde stählern. „Du hast alle Geschichten verschleudert, die ich dir gab. Was für ein Leben reichen sollte, schenktest du her für wenige Stunden Ruhm. In jenen Kreisen bist du längst in Vergessenheit geraten. An Orten wie diesem wirft dein Name vielleicht noch ein paar Schatten, aber wer du wirklich warst, das weiß doch niemand mehr. Weißt du es denn selbst?"

„Dann bist du also doch nur gekommen, um mich zu verspotten", sagte er müde.

Mit spitzen Fingern nahm sie ihm den leeren Becher aus der Hand, roch daran und rümpfte die Nase. „Nein, aus Mitleid", erwiderte sie. „Ich wollte dich daran erinnern, dass dir eine Geschichte geblieben ist. Eine einzige, die dir niemand wegnehmen und die dich nicht verlassen kann, weil sie dir gehört, schon von Geburt an. Eine einzige, die nicht ich dir gab. Eine Geschichte, so lang wie ein Leben." Sie stellte seinen Becher verkehrt herum ab.

Das Wirtshaus begann sich vor Tollivers Augen zu drehen, und er griff nach der Tischkante ... Die

Fuchsfrau war fort. Zitternd hob er den Becher hoch. „Hüte dich", klang ihre Stimme daraus, und er hielt ihn an sein Ohr. „Du weißt, was geschieht, wenn du sie jemals zu Ende erzählst."

Nun konnte er wahrhaftig niemals mehr zurück. Geschichten mussten immer ein Ende haben, sonst versagten die seidenen Handschuhe ihnen den Beifall.

Ach, er vermisste ihren Beifall.

Aber vermisste er auch ihre gierigen Blicke, die ihn aussaugten und dann vergaßen?

Er warf den Becher fort, klappernd rollte das Gefäß über den Tisch und polterte zu Boden. Das magere, barfüßige Schankmädchen bückte sich danach und blickte hinein, runzelte die Stirn, als hörte es etwas darin, und warf Tolliver einen fragenden Blick zu.

Was ihm am meisten fehlte, dachte er, war Geschichten zu erzählen. Richtige Geschichten. Die noch nicht unzählige Male geändert und verstümmelt worden waren, um seidenen Handschuhen zu gefallen.

Er lächelte traurig, ein leises Lächeln, das so fadenscheinig war wie sein Gewand. Scheu huschte der Waldkobold davon.

Aber als Tolliver am nächsten Tag der gewundenen, staubigen Landstraße zum nächsten Wirtshaus folgte, zupfte ihn gegen Mittag etwas am

Ärmel. Es überraschte ihn nicht, dass es der Waldkobold war.

„Erzähl mir eine Geschichte", wisperte das magere, barfüßige Ding.

„Habe ich doch gestern", sagte Tolliver.

„Nein, nicht so eine. Eine richtige", beharrte der Waldkobold. Blitzende Augen.

Tolliver seufzte. „Ich weiß nur eine. Aber ich kenne ihr Ende nicht."

Ein Fuchslächeln. „Wer will denn das Ende wissen? Erzähl mir lieber den Anfang."

Und so beginnt die Geschichte.

Auf dem Grund eines Weinbechers.

Auf einer staubigen Straße.

Genau in dem Augenblick, als zwei Geschichten einander begegnen und zu einer einzigen werden.

Gabriele Wolkenhauer-Cesnik

zwischen
gestern und morgen
tastet
mein Fuß
steinigen Weg
von
gespanntem Bogen
schnellt Sehnsucht
ins
Ungewisse

schau zurück

du legst
aus der Hand
was
du gehalten
siehst nach vorn
streifst
deine Schuhe ab
gehst barfuß
durch Sterne

weggeflogen

in
struppige Federn
gesetzt
deinen Flügeln vertraut
abgehoben
einem anderen Licht entgegen
Schatten ist immer Rückseite
aber Dunkelheit
muss nicht weh tun
kann einhüllen
Ruhepunkt sein
Wechsel ist Wegspur
und
Ankunft bleibt Ziel

meine Rose
blickt
durch das Schlüsselloch
in deine Zukunft
ihre Dornen
brechen
an der Klinke
deiner Tür
verschlossen
der Weg
in deine Freiheit

höchste Zeit
für
meine Reise

ein Kreis
meine Reise
Ziel
wird Anfang
Fahrschein
längst
vorgezeigt
Weiche
neu gestellt
mehr Gepäck dabei
andere Fahrgäste
Ausblick verändert
Bahnhöfe umbenannt

Notbremse klemmt
Endstation
ohne Pufferzone
Mut
zu 360 °

Folge weiter
deinem Weg
atme tief -
lass ein
den Duft
aus Blüten
einer Zukunft
die als Knospe
dir erwacht

lass dich ein
auf die Stimme
denn sie ruft dich
in ein Morgen
das dem Heute Antwort gibt

Christine Zickmann

Ein Huhn

Ein Huhn spaziert auf den Geleisen,
es will in Richtung Süden reisen
und träumt von Sonne, Meer und Strand,
kurzum von dem Schlaraffenland.

Nie mehr will's Frühstückseier legen,
nur Sand sich durch die Federn fegen.
Kein Stress, kein Hühnerhofgeschrei,
kein eitler Gockel. Frank und frei
will es nur sein. Ach, und so weiter.

Ich dachte, Hühner sei'n gescheiter.

Der Uhu

Ein Uhu hoch im Baume schlief,
als unter ihm ein Jogger lief.
Es prustet, stampft und keucht.
Dem Uhu aber deucht,
weil er sehr klug und weise:
„Warum ist der nicht leise?

Kommt einer so gegangen,
wird er die Maus nie fangen."

Städtefahrt

Herrlich ist für alte Leute,
wenn im Herzen einer Stadt
man ein Bette stehen hat,
und du der Touristenmeute
fliehst in dampfend heißes Bad.

Und dann legen sich die satten
Sinne feierlich zur Ruh
und die Knochen auch dazu
die so pflastermatten, platten
und es dunstet aus dem Schuh.

Herrlich, wenn ein Kellner schwenkt
Cappuccino ins Gemach
und du schlürfst ihn, und danach
sich Vergessen niedersenkt
und die Seele baumelt brach.

Der Spatz Augustin

Es wollte der Spatz Augustin
so wie die Schwalben südwärts ziehn.

Er fragt die Gans, die weise:
„Nimmst du mich auf die Reise?"
Vor einem Kranich bleibt er stehn:
„Ich möcht' mit dir nach Süden gehn."

Die Vögel breiten ihre Schwingen:
„Wohin solln wir dich bringen?
Wir fliegen in die Sümpfe.
Du hast nicht Schuh und Strümpfe."

Zur Krähe kommt der Augustin:
"Nimm mich ins Land der Sonne hin."
"Wir fliegen nicht nach Afrika.
Kroa, kroa, wir Krähen bleiben da."

Da war's dem Augustin zu dumm.
Er flog zweimal im Kreis herum
und flog, dass keck die Federn wehn
zum Flugplatz, wo die Jumbos stehn.

Er fragte nicht, wer nimmt mich mit,
stieg in ein Flugzeug nach Madrid
und zwischen Kisten, Körben, Säcken
konnt' er sich gut verstecken.

So landet er und viele Spatzen
sah er am Rollfeld munter schwatzen.
Die staunten. Denn mit Brust voraus
stieg Augustin zur Türe aus.

Er grüßte spanisch, wie es Sitte,
und hockte bald in trauter Mitte,
berichtete im Spatzenkreise
von seinem Abenteuer Reise.

Ein buntes Bild hat er gemalt
und angegeben und geprahlt
so richtig wie ein Mann von Welt.
Da wurde Augustin ein Held.

Der Fluss

Kristallklar schäumt er aus dem See
flink und befreit zu Tal.
An seinen Rändern bricht sich Schnee,
sein steinig Bett ist schmal.

Er funkelt wie geschliffen Glas.
In spielerischem Lauf
springt über Steine wie zum Spaß
der Bach und hält nicht auf.

Als er ins Tal gekommen war,
wuchs er zum Jüngling kühn.
Noch immer ist sein Antlitz klar
voll Übermut und Funkensprühn.

Dann, als er 100 Meilen alt
schritt er mit trägem Gang.
Behäbiger auch die Gestalt
und tiefer sein Gesang.

Doch weiter, weiter muss er ziehn.
Verwaschen wird sein Kleid.
Vergessen auch das Funkensprühn.
Grau färbt ihn Weg und Zeit.

Gestaut, begradigt und bedrängt
gefesselt und gefangen
hat müde er den Schritt gelenkt
zum Meere voll Verlangen.

Das Tor steht auf. Er ist am Ziel,
gibt sich den Fluten hin.
Manchmal seh in der Wellenspiel
ich noch sein Funkensprühn.

Der Radler

Der Tacho zeigt dem Radlersmann:
Er geht ein flottes Tempo an.
Die Fahrt ist frei und klar die Sicht.
Der Schweiß schon aus den Poren bricht.
Drei Meilen sind es noch zum Ziel.
Geballte Kraft das Muskelspiel.
Welch' Lust noch einmal zuzulegen!
Nichts überholt, nichts kommt entgegen!
Und schneller tritt er, immer schneller
das Heimfahrrad im Bastelkeller.

Ein Lächeln

Der Puls ermattet im Verkehr
der Autobahn. Nichts rührt sich mehr.
Im trüben Schein der Fahrzeuglichter
wachsbleiche, mürrische Gesichter.
Des Nachbarn Radio pocht zu laut,
nervös wird Kaugummi gekaut
und Zigarettenschwaden teilen
sich vor Gesichtern und enteilen.

Doch da im fahlen Morgenlicht
huscht Lächeln über ein Gesicht.
Da klebt rücklings am Fensterglase
platt eine stups'ge Kindernase.
Da winkt zum Grüße ungeschickt
die kleine Hand. Da fragt ein Blick
und eine Botschaft purzelt keck
auf den Asphalt. Sie fegt hinweg
das Grau, das auf der Seele lag.

Adieu Tristesse! Dies wird mein Tag.

Im Hotel

Du kriegst mich nie, höhnte die bleiche,
schaumgummiweiche
Mohnbrötchenflanke.
Du kriegst mich nie. Die silberblanke
Messerschneide traf ihren Rumpf
und säbelt stumpf,
indes der Klinge eilends flieht
das Brötchen, das den Bauch einzieht
und bleich und weich und Mohn verziert
so überdauert ungeschmiert.

Kurz-Vita der Autorinnen und Autoren

Die Verfasserinnen und Verfasser der Beiträge in dieser Anthologie sind Mitglieder im **FDA** - Freier Deutscher Autorenverband, Schutzverband Deutscher Schriftsteller – Landesverband Hamburg und Schleswig-Holstein e. V.

Informationen über den Berufsverband für Schreibende finden Sie im Internet unter:

www.fda.de und **www.fda-hamburg.de**

Ellen Balsewitsch-Oldach, Jahrgang 1955, lebt und arbeitet in Hamburg als freie Autorin und Journalistin, schreibt seit Anfang der 1990er Jahre Krimis und hat seitdem zahlreiche Kurzgeschichten in verschiedenen Verlagen sowie einen Band mit eigenen Kurzkrimis („Mörderische Blumengrüße", 2004) veröffentlicht. Sie ist Vorsitzende des Landesverbands Hamburg und Schleswig-Holstein im Freien Deutschen Autorenverband, außerdem Mitglied in der Hamburger Autorenvereinigung, bei den Mörderischen Schwestern, im Europa-Literaturkreis Kapfenberg/ Österreich und weiteren Autorenverbänden.

Dirk Becker, 1954 geboren, lebt in Schleswig-Holstein und Hamburg. Zuletzt zwei Gedichtbände („Seelentänze", in zweiter Auflage 2005, und „wortbruch", 2006). Vorsitzender des Kunstvereins Heide. Stellv. Vorsitzender im Freien Deutschen Autorenverband (FDA), Landesverband Hamburg und Schleswig-Holstein. Mitglied in der Hamburger Autorenvereinigung, in der Deutschen Haiku-Gesellschaft, im Verband Deutscher Schriftsteller (VS) und im Europa-Literaturkreis Kapfenberg/Österreich sowie anderen Literaturvereinigungen. Zahllose Beiträge, Lyrik und Prosa, in Literaturzeitschriften und Anthologien.

Anneliese Braasch, Jahrgang 1935, ist Mitglied im Quickborn e.v., dem Niederdeutschen Institut Bremen und der Vereinigung "Plattdeutsch leevt". Sie schreibt mit spitzer Feder in den drei Sprachen ihrer Heimatstadt: Plattdeutsch, Hochdeutsch und Missingsch, nahm an Seminaren der Universität Bremen und bei Walter Kempowski teil. Veröffentlichungen in Rundfunk, Fernsehen, Zeitungen, Zeitschriften und Anthologien.

Angelika Flotow, Jahrgang 1945, ihr Roman „Im Koffer ein Lächeln" – eine Pharmareferentin packt aus - ist das Ergebnis ihrer jahrzehntelangen Tätigkeit in der Pharmazie. Weitere Veröffentlichungen: „Zeit mit Vera", ein Episodenroman, sowie Kurzprosa in diversen Anthologien.

Monika Garn-Hennlich, 1944 in Guhrau/Niederschlesien geboren, in Idar-Oberstein/Rheinland-Pfalz aufgewachsen. 1960-1966 kaufm.Angestellte. 1967 Umzug nach Hannover. 1968 Aufgabe des Berufs zugunsten der Familie. Ab 1995 berufstätig in der ambulanten Altenpflege. 1990 mit dem Schreiben begonnen – Lyrik, Kurzprosa. Weitere Mitgliedschaften: Gruppe POESIE Hannover und Deutsche Haiku-Gesellschaft.

Wolfgang A. Gogolin, Jahrgang 1957 und von Beruf Rechtspfleger, lebt in seiner Heimatstadt Hamburg. Bisher vier Buchveröffentlichungen, die Beamtensatire 'Karawane des Grauens' (2002) und der Roman 'Der Puppenkasper. Weibliche Macht - Männliche Ohnmacht' (2004). Anfang 2006 erschien im traveldiary-Verlag seine Kurzgeschichtensammlung ‚Beamte und Erotik', im August 2007 der Nachfolgeband ‚Beamte und Menschen'. Gründungsmitglied der Literatengruppe Wortwerk-Hamburg und Veranstalter der monatlichen ‚Spät-Lese' im Kulturhaus Hamburg-Dehnhaide

Birgit Hambach oder Birgit Hambach-Uldall war in Flensburg Ärztin, lebt heute in Glücksburg, seit 25 Jahren literarisch tätig. Veröffentlichte zwei Bände Erzählungen „An Flensburgs Förde", die Novellen „Hellemann, der von der Geest" und „Selbst wenn der eine sich irrt", Kurzprosa in mehreren Anthologien. Lyrik. - Mitglied in fünf Autorengruppen. Führt eine Textwerkstatt.

Günter Kolb, gebürtiger Berliner, Jahrgang 1930, wohnt seit 1975 in der Nähe von Hamburg, besuchte nach Beendigung des Berufslebens 1989 viele Schreibwerkstätten, fertigt danach im Eigenverlag Anthologien aus den erarbeiteten Texten, damit diese nicht in Vergessenheit geraten. Im November 1998 gründete er in Buchholz/Nordheide die Autorengruppe „Tintenklecks". Er ist Mitglied im Freien Deutschen Autorenverband seit 1994. Veröffentlichungen: „eben noch schwebend in rosa Wolken", 1993, und Texte, Kurzprosa und Lyrik, in div. Anthologien.

Manfred Kolb, Jahrgang 1938. Studium von Jura, Philosophie und Literatur in Tübingen und Freiburg. Verwaltungsbeamter in der Justizbehörde in Hamburg. Lebte von 1961 bis 1995 in Hamburg, danach an der Schleswig-Holsteinischen Westküste. Seit August 2006 in Brandenburg in der Landeshauptstadt Potsdam wohnhaft. Mitglied in mehreren Literaturforen, Kunst- und Literatur-Vereinen. Schreibt und veröffentlicht Lyrik, Limericks und Kurzprosa in Anthologien, im Internet und in Print-Medien. Lyrik-Auszeichnungen 2006 und 2007 der Stadt Benevento (Italien).

Dr. Margitta Lambert, geboren 1945, lebt in Hamburg und beschäftigt sich leidenschaftlich mit dem, wie sie selber sagt, sinnlich-spirituellen „Lebensmittel Wort" - besonders in Gedichten, aber auch in Essays und Kurzgeschichten. Ihre Texte sind in verschiedenen deutschen und deutschsprachigen Literaturzeitschriften und Anthologien erschienen.

Kerstin Leppert, geboren 1967, lebt und arbeitet in Hamburg als Yoga- und Pilates-Lehrerin und betreut als verantwortliche Redakteurin das deutschlandweite Vereinsmagazin der Kundalini Yogalehrer. Zahlreiche Veröffentlichungen von Lyrik und Prosa in Literaturzeitschriften und Anthologien und Herausgabe u. a. der Gedichtbände „feuerleger" (2002) und „stundenkokon" (2004) sowie zweier Yoga-Bücher.

Renate Meckel, Lyrikerin, wohnt in einem alten Bauernhaus bei Bremen.

Micha Mikolai, geboren 1944 in Troppau, lebt in Hamburg und schreibt vorwiegend Lyrik (deutsch und französisch), aber auch Sachliteratur und Übersetzungen. Außerdem arbeitet die Lyrikpreisträgerin gelegentlich als Lektorin.

Trudi Pätz, 1922 in Hamburg geboren, 1941 Abbruch der Schauspielausbildung nach einem Jahr (Bombeneinwirkung), Nachrichtenhelferin in Bordeaux, 1945 Heirat, zwei Kinder, 1970 Scheidung, kaufmännische Fortbildung. Danach verantwortlich für das Redaktionsarchiv der Staatlichen Pressestelle, als Rentnerin im Jahr 2000 zweijähriges Fernstudium „Belletristik" beendet. Veröffentlicht in Zeitschriften und Anthologien Kurzgeschichten und Krimis, sowie Zeitzeugenberichte für den ZEITGUT-Verlag Berlin. Ihr Buch „Der beschwipste Amor" – Weihnachtsgeschichten einmal anders – erschien im September 2005.

Hildegard Schaefer, geboren 1949 in Lauenburg/Elbe, Mutter zweier erwachsener Kinder, lebt seit 1957 mit Mann, Hund und Katze in Buchholz/Nordheide. Bereits im Alter von 16 Jahren fing sie mit dem Schreiben an. Heute veröffentlicht sie überwiegend Science-Fiction.

Heidrun Schaller, Jahrgang 1943, in Eckernförde geboren, Kindheit in der Sowjetunion - moderne Nomadin von Geburt an. Seit 30 Jahren Leiterin von Schreibwerkstätten und Literaturkreisen. Fünf Einzelpublikationen und zahllose Beiträge in Anthologien und Literaturzeitschriften. Zusammenarbeit mit anderen Kunstrichtungen zu multimedialen Projekten. Sie erhielt einen Prosa Förderpreis des Sonnenreiterverlages (1979), den Prosapreis der Stadt Waren 1999 und den Förderpreis für Literatur der IGDA 2007 (Interessengemeinschaft Deutschsprachiger Autoren).

Antje Schnabl, Ende der fünfziger Jahre in der Prignitz geboren. Nach dem Jurastudium lange in Berlin gelebt. Wohnt seit Anfang der 90er Jahre mit ihrem Ehemann in der Nähe von Hamburg. Im Geest-Verlag sind von ihr erschienen "Und was ist mit Liebe...", eine Erzählung und "Poesie der Verwandlung", Lyrik und Fotografien, bei Edition Wendepunkt „Im Osten geht die Sonne auf. Reiseeindrücke aus China".

Andrea Sondermann, geboren am 30. Januar 1976 in Soltau, Diplom-Bibliothekarin. Seit 1995 war ich Mitglied im FDA Niedersachsen und wechselte 2007 auf Grund meines Umzuges nach Schleswig-Holstein zum FDA Hamburg. Ich schreibe hauptsächlich Märchen und Fantastisches. Veröffentlichungen in Anthologien.

Gabriele Wolkenhauer-Cesnik, geboren 194 in Wuppertal, aufgewachsen in Hamburg und Schleswig-Holstein, arbeitet seit ihrem Studium in den Fächern, Anglistik, Germanistik und Pädagogik als Lehrerin und lebt heute mit ihrer Familie in Kirchlinteln. Sie schreibt vor allem Lyrik, die sie in verschiedenen Anthologien und als Gedichtbände im Eigenverlag neben selbst illustrierten Bilderbüchern veröffentlicht hat.

Christine Zickmann, Jahrgang 1935, wohnt in Salzhausen am Rande der Lüneburger Heide. Gedichte, Kindergedichte, Kurzgeschichten. Schwerpunkt erzählende Lyrik als Spiegel unseres Alltagsgeschehens, heiter, nachdenklich, bissig und manchmal auch unendlich traurig. Bisher erschienen: Zwei Gedichtbände illustriert mit eigenen Tuschezeichnungen, Beiträge in Anthologien und Mitherausgeberin von zwei Anthologien zum Zeitgeschehen.

Verzeichnis der Abbildungen

Inhaltsverzeichnis